ゼロからわかる
オフショア開発入門

吉山慎二
YOSHIYAMA SHINJI

幻冬舎 MC

ゼロからわかる オフショア開発入門

はじめに

設計・開発・製造と、日本経済の根幹を支えてきたいわゆる「ものづくり」の分野は今、深刻なエンジニア不足に陥っています。

経済産業省の調査によると、製造業の分野で人材不足について「大きな課題となっており、ビジネスにも影響が出ている」と回答した企業は、2016年に22・8%だったのが、2年後の2018年には35・7%へと急上昇しています（『2019年版 ものづくり白書』より）。新卒で就職する人も年々減少しており、中途人材の採用でも条件に合った人はなかなか見つかりません。エンジニアの増員が叶わぬなか、上流工程から下流工程までのあらゆる業務に、現存の戦力のみで対応し続けているのが日本の製造業の現状なのです。

「リーズナブルなコストで、同じエンジニアを安定的に使い続け、設計・開発・製造部隊をなるべくリスクや無駄の少ない形で拡張したい。なんなら必要なときだけ使いたい」

エンジニア不足に悩む経営者・管理者の本音はシンプルです。虫のいい話とは分かっていながら、問題解決を期待している。しかし国内人材市場に目を向けているだけでは、光明は見えてこないのが現状ではないでしょうか。

人間の頭の中にあるアイデアや構想を、ソフトウエア・システムという形でアウトプットすればよいIT系業界においては、技術革新や業界の成熟、技術的問題の解決、成長や進歩といったものが進めば進むほど、人の雇用が不要になります。その結果、システム（＝ビジネス）を構想し、立ち上げ、管理運用する一部の人たちにのみ富は集中し、それ以外の人たちとの間に大きな格差が生まれるわけです。

一方、人間の頭の中にあるアイデアや構想を、手で触ることのできる「もの」としてアウトプットする製造業においては、当面、多くの人の「手」を必要としている状況は変わりません。原則的には、ビジネスの拡大は雇用の創出を意味し、「売上」と「繁閑」と「技術者の需要」は連動します。したがって、製造業が繁栄すればそれだけ多くの雇用が生まれ、富は多くの人に分配されることになるのです。

ところが、その人材（特に技術者）不足という問題によって、製造業は仕事を引き受けることができません。結果、それが深刻な足かせとなって成長が阻まれてしまうのです。

そこで考えてみたいのが、「オフショア開発」という選択肢です。

「オフショア（offshore）」は「海外の」という意味ですから、「オフショア開発」とは、単純に考えれば「海外で開発を行うこと」の意味になります。国内にエンジニアがいないのであれば、海外で確保するしかありません。

ただ、こう書くと、読者には顔をしかめる方もいるかもしれません。というのも、オフショア開発のことを、海外の業者に案件を丸ごと発注するだけの取引であると勘違いしている人が多いからです。このようなやり方の場合、クオリティのコントロールやセキュリティの確保について、発注側である国内業者は、ノータッチでいるしかありません。商慣習の違いによるトラブルについても、懸念が残ります。

とりわけIT系分野においては、かつて国内大手SIerが中国でのオフショア開発に失敗し、結局、日本で作り直しになったため、数十億円の損害が生じたケースがあります。これは特別な例というわけではなく、氷山の一角に過ぎません。ほかにも、オフショア開発がうまくいかなかった事例は枚挙に暇がありません。

中国での数々の失敗は、「海外での開発は全部ダメ」という先入観を生むこととなりました。これによって、ＩＴ系業界においては、極端な人手不足が続いたにもかかわらず、海外開発の利用には積極的にはなれなかったのです。

一方、製造業においては、開発・設計とは、そもそも「会社の中」で行うものであり、機密情報を海外に持ち出して行うことには、これまた消極的でした。

もし行うとすれば、一定以上の資本力を持った企業が自前の拠点を海外に立ち上げ、大きなコストとリスクを抱えつつ、海外拠点という「会社の中」で、海外現地で雇用した自社の「社員」を使って開発・設計（順番的には先に製造、後から設計という流れが多い）を行うことが通例でした。

もちろん、海外で開発を行う事業者への委託がまったくなかったわけでもありませんが、失敗なく成果を出すのは簡単ではありません。国内であれ海外であれ、請負業者への丸投げは、請負業者が技術的内容をきちんと理解でき、一定のスキルレベルを有することが前提となりますが、そこに至るまでの時間とコスト（当然、失敗も多く含まれます）が馬鹿にはできません。

しかも、海外請負業者となると、コミュニケーションの問題や考え方の違いなどもあり、請負業者を育てるのは非常に大変です。ごく簡単な作業的仕事を依頼するだけならともかく、一定以上のスキルを要するアウトプットが出せるようにするには、相当な労力が必要となるのです。

採算上、資本関係のない海外事業者にそれだけのパワーをかけるのは、とても困難です。そこで、常に日本側と同期の取れた海外拠点をグループに持ち、海外拠点の運用に責任を持っている日本のコンサルティング会社を利用することはどうでしょうか。

そもそも開発とは、チーム内での綿密なコミュニケーションが重要な業務のはずです。ならば、オフショア開発もまた、日本側と海外のエンジニアとが日々、連携を感じながら業務に向かうことができていなければなりません。例えば、日本の設計・開発室から、毎日ビデオ会議やメールを通して指示を送ると、それに従って現地のエンジニアたちが動く。疑問や困ったことがあれば、海外からいつでも問い合わせがくる。日本側は、海外からの仕上がりについて細かくチェックバックし、次の業務に役立ててもらう。

メーカーの設計室の中で机を並べている上司と部下のコミュニケーション・関係性とほとんど変わらない状況が、海を隔てた両者に成り立てば、どうか。

このような体制下であれば、いわば海外に一つチームを増設したかたちとなるため、「発注したきり、向こうで何が行われているのか分からない」という不安な状況はなくなります。常に海外チームの動きを把握することもできるため、クオリティのコントロールにおいても安心できます。

自社でこれを実現するのは大変ですが、仮に、海外のエンジニアを調達できる人材コンサルティング会社を利用して、そのような開発拠点を設けられるとしたらどうでしょうか。人件費が安ければ、教育にある程度の期間を割いても、国内の人材派遣のような割高感はありません。エンジニアは人材派遣会社に雇用されるかたちになるため、派遣とは違いずっと専属で同じエンジニアを使い続けることも可能ですから、育てる労力が無駄になることもありません。もちろん担当者が現地に行くなり、エンジニアたちを国内に呼び寄せるなりして、研修を行うのもよいでしょう。日本語でのコミュニケーションが可能な人材を確保することで、日本側の担当者のコミュニケーションのストレスは、極力抑えることも可能です。

拠点が離れていると労使交渉やセキュリティ環境の整備などで不安を感じるかもしれませんが、それらは人材コンサルティング会社の管轄です。商習慣等に関するトラブルなどもコンサルティング会社に任せることができます。企業は要望を出し改善を待てばよく、設計・開発といった本業に関してのみ、関心を払っていればいい。こうして企業のエンジニア部門は、従来よりもはるかに少ない労力で大幅なキャパシティの向上が実現できるのです。

単に海外業者に発注することをオフショア開発だと思い込んでいる人も多いせいで、こうした設計・開発環境の拡張方法は、残念ながら、まだ広くは知られていません。しかし、国内の大手上場企業ではすでに10年以上前から導入、活用されている事例もあり、すでに各所で成果が認められています。

開発拠点はインドやベトナムといったアジア各国に設置されることが多く、特に近年注目を浴びているのが、ベトナムへの進出事例です。ベトナムはIT産業での成長が著しく、優秀なエンジニアの層がますます厚くなっています。IT産業の総売上は、すでに800億米ドル規模にも上っており、近い将来、日本だけでなく、世界的にもエンジニア人材の供給地として一定の地位を確保することになるでしょう。オフショア開発の市場もベトナムでは順調に成長しており、その規模は約3000億円にも上るといわれています。

私は、大手商社での営業経験を経て、技術系の人材流通に革命を起こしたいとの思いから起業し、2011年、オフショア開発の支援事業を立ち上げました。オフショア開発を効果的に行えば、日本の製造業はさらに成長できると確信し、インドやベトナムにそうした拠点を築いたのです。

手足のように使える業務拠点を海外に持つことで、その企業の国内エンジニアたちは、下流工程の作業をどんどん手放していくことができます。より高いスキルや創造性が求められる上流工程にのみエネルギーを注ぐことが可能となり、組織全体としてのパフォーマンス改善がもたらされます。労働時間の短縮はもちろん、受注能力や処理能力、ひいては業績の向上も可能となるのです。

実際、分業体制に時差を活用することより、開発期間の短縮化に成功した企業は少なくありません。ベトナムの拠点を足がかりに、サプライチェーンや商圏および販路の拡大に乗り出している実例もあります。

本書では、そうした実例にも基づき、オフショア開発の実態や正しい活用ノウハウについて、紹介したいと思っています。

国内労働市場だけでは解決できないエンジニア不足にも、本書のやり方でのオフショア開発なら活路を見出せることが、きっとお分かりいただけると思います。もちろん企業の側でも準備や対応が必要な側面はありますが、運営のコツや企業の声もまとめてあります。導入企業が事前にどんな不安を感じていたのか。どんなトラブルがあって、どんなふうに解決したのか。なぜ今、この体制でうまく成果を出せているのか。そんな部分も、なるべく具体的にご紹介していくつもりです。

「案ずるより産むが易し」といいますが、なかには事業部長が現地視察で「これだ！」と直感し、そのままエンジニアの採用面接を始め、導入した企業もあるほどです。適切に構築されるオフショア開発体制には、経営者・管理者にとって、それほど大きな魅力があるのです。

本書の内容が、慢性的なエンジニア不足に悩む多くの企業の皆さんにとって、問題解決のヒントになれば、著者として幸甚です。

目次

第3章 人数に対するコスト、セキュリティ、働き方の違い……
オフショア開発導入前に知っておくべき運営の基本

第4章 依頼業務の選定、社内の体制変更、日本での研修設定……
プロジェクトの成否を分ける！ オフショア開発実施前に準備すること

第6章 導入前の準備から実施後の効果まで オフショア開発の実践事例

第1章

エンジニアがいない！
深刻な人材不足で
疲弊する現場

深刻化する製造業の人手不足

かつて、ものづくりの仕事をしているといえば、日本経済を支える大黒柱の一つを担っているという感がありました。しかし、「はじめに」でも触れたとおり、製造業は今や若い人には敬遠されがちな分野の一つになりつつあります。

その大きな理由の一つは、インターネットが完全に普及し、就職活動の事情が大きく変わったことにあるといえるでしょう。

就活生は就活サイトを利用し、業種を問わず何十という会社に一斉にエントリーをして、漁るようにして就職先を探していくことが可能な時代です。もちろん、彼らは選ばれる側ではありますが、労働条件が比較しやすくなったこともあり、どうしても工場で働く＝危険、汚いといったイメージがつきまとう製造業には足が遠のきがちな学生が多いようです。

製造業でちょうど今、人材の調達や育成の責任者を務めている立場の方が就職した当時は、開発や設計といった〝キレイな〟仕事を担当できるようになるには、工場の生産ラインで10年は経験を積むのが当たり前、といわれていたことでしょう。しかし今の若い人には、下積みを重ねて一人前になるとか、現場で叩き上げて頭角を現す、といった成長物語は通用しません。

昔ならば、新入社員はとりあえず製造現場に放り込んだものです。そこで経験を積ませ、技術を学ばせながら、彼らの動きを観察する。勘がよく、目端が利く者がいたら、頃合いを見て設計部門にピックアップして、より上流の仕事を学ばせる、といった育て方が一般的でした。

しかし、今や製造業では、このようなパターンで人を育てることが非常に難しくなっています。有名な大企業であっても、「同じ大手なら、もっといい条件の会社に行きたい」と、別の業種に流れていく若い人たちが多いようです。結果、製造業に入ってくる若者の減少傾向は、人口構造上、若者が減っている傾向よりもさらに顕著になっています。

実際、中小製造業では、人材が足りなくてラインが維持できず、倒産してしまうという話が珍しくなくなりました。近所の主婦たちをパートタイマーにしてなんとかしのいでいるような現場は無数に存在します。

それでも対応しきれない仕事は下請けに回さざるを得ません。

顧客との取引を維持するために請け負うものの、外注費がかさんでしまい利益が出ない仕事が続く、という苦境はすっかりありふれているといえるでしょう。

上位メーカーとしてはできるだけ安く作りたいという希望が常にあり、下請けはそもそもタイトな金額で受注をしています。忙しいなか、いくら手を動かしても儲からないという状況ですから、当然社員の給料は、なかなか上がることがありません。したがって、人が集まらない、定着しないという悪循環がずっと続いているのです。

加えて、人口の東京への一極集中が加速し、留まる気配を見せないことも製造業の人材不足に拍車をかけているといえるでしょう。今や若い人は「東京で就職するのが当たり前」という感覚だと思います。

工場を伴うせいで、広い土地が必要な製造業は地方に展開している場合が多く、その時点で就職先として敬遠されてしまいやすいのです。

設計担当が下流工程まで行う現状

若手の層が現場に少ないため、若手にこそ任せたい仕事を、いつまでも中堅クラス以上の社員が担当せざるを得ない状況が多くの現場で続いています。

いわゆる下流工程の仕事ですが、かつては一年目に相応しい仕事は一年目の社員が、二年目に相応しい仕事は二年目の社員が……というようにして社員それぞれが会社の仕事全体を理解し、技術を習得していったものです。社員は経験を積むたびにより下流の仕事を後輩に任せ、自分は一段階上の仕事を担当する。そして、責任の範囲が少しずつ上流に移っていったのです。

しかし、いつまでも若手が入ってこない製造業の現場では、そのような上下世代間での仕事の分担がもはや成り立っていません。三年目の仕事を十年選手がやっている、といった状況が当たり前に起きています。

結果、現場の仕事を広く把握している中堅社員には、本人のレベルを上限としてそれ以下のあらゆる仕事が舞い込むかたちとなっているのです。

本来ならば設計業務の中でも上流にある顧客との打ち合わせ、要件定義、構想設計、基本設計などを担当し、その先の部分設計・詳細設計は部下や後輩にパスする、といった体制が理想です。しかし実際のところ、中堅社員はそのすべてを担当せざるを得ません。場合によっては、詳細設計、部品図の作成や3Dモデリング、解析のメッシュ作成、あるいはそれらを準備するような業務までを受け持つことになっている現場もあります。

製造業者にとって、顧客に対する大きな価値の源泉は、設計力と提案力です。なかでもニーズヒアリングを経て、製品の構想を練る、基本設計を検討するといった、最も知力と経験を要するパートは、その後の作業の流れをつくるうえでも極めて重要です。「できる社員」は、本来その業務にのみ精力を注げることが理想ですが、それが実現できていないのです。

中堅社員が価値創造的な仕事に時間と体力・知力を使えず、彼らにとっての作業に過ぎない活動に、多くのエネルギーを奪われている。こうして、会社の競争力が徐々に削ぎ落とされていってしまっているのです。

このように設計の仕事でチームワークがつくれないと、さらに下流の製造工程は動きようがありません。NCプログラムを作成する技術者が足りず、そこがボトルネックになって生産ラインの工作機械がずっとストップしている、といった工場も実は少なくありません。1台数千万円もする工作機械は、とにかく動いてくれなければ元が取れません。それが遊んだままになっており、減価償却分も稼いでくれないという状況が、日本各地の製造現場で生じています。

経験者を調達すれば解決するのか？

新卒の若い人材が集まらないせいで、本来、上流工程を担当すべき中堅社員の時間と労力が、より下流の工程での対応に奪われてしまっているわけです。ならば、中途人材（経験者）を集めれば、この問題は解決するのでしょうか？

もちろんイエスですが、「それができたら苦労はしない」という事情がここにはあります。というのも、自社の仕事にぴったり合った経験者と出会うことが難しい。それは例えるなら、広い海岸で目当ての砂粒を見つけるようなものです。

仕方がないので、企業はエンジニア業界に強い派遣会社を利用することになります。しかし、派遣会社にも当然そんな都合の良い人材はいません。即戦力になるような優秀なエンジニアは、自分で働き口を見つけることができますから、派遣会社にわざわざ登録しないのです。

そこで、一部の派遣会社では派遣先となるクライアント企業のニーズに合うような人材を自社で育てて保有しています。当然、その育成コストは派遣費用に上乗せされるため、多少は「使いやすい」人材なれど、そのコストはべらぼうに高くなります。そうした人材は、派遣コストが1カ月100万円を超えることも珍しくありません。

こうなるとクライアント企業（派遣先企業）は「この人材を直接雇用したい」と考える。雇用形態はともかく、これまで一緒に働いてきたのだから、その人物の能力や実力、人間性はよくわかっているため、安心して雇い入れることが出来ます。勘定科目が「その他経費」から「人件費」に変わるので、人件費を増やしたくない会社にとってはハードルとなりますが、額だけ比べれば相当安くなります。その派遣者も派遣先企業での直接雇用を望むのであれば、派遣先企業と派遣者はwin-winとなります。

しかし、派遣会社にとって貴重な資産であるところの人材引抜きは、大変無作法な振舞いです。派遣先企業が派遣（元）会社に見つからないように派遣者と口裏を合わせ、その派遣会社から〝自然に〟退職させて裏でこっそり採用するようなことを行えば、その後どんなリスクがあるでしょうか。少なくとも被雇用者（かつての派遣者）は、その会社が自分を派遣から正社員として採用する際、ルール違反なやり方を行った、という事実を知っているのです。

派遣会社が有料職業紹介のライセンスを持っているなら、紹介手数料をいただいて、派遣者をリリースすることはあるでしょう。しかし、派遣会社にとって一時的な紹介手数料より継続的な派遣費用の方が、ビジネス的に有利です。

かりに派遣会社と派遣先企業の間で「人材紹介」の合意ができたとしても、転籍を持ちかけられた派遣者（技術者）が必ずしも派遣先企業の正社員オファーを受けるとは限りません。

優秀な人ほど選べる立場におり、理由があってそういう働き方をしているのです。派遣社員の中には、安定を求めて正社員を望む人も多いのですが、そんな派遣先ばかりに都合の良いオファーは、デキる人ほど辞退する可能性が高いでしょう。未経験から実務経験を通して、そこまで成長させてくれるほどの経済的背景がある大手派遣会社での立場を捨てて、いち製造業の社員に転籍するとなれば、本人にとってどちらが魅力的か、という話になってくるからです。

オファーをくれた派遣先企業の事業が安定していて将来性があり、待遇がよくロケーションなども申し分ないのなら、転籍は実現するかもしれません。しかし、そこまですべてがうまくハマることは、まずありえないと考えるほうが妥当でしょう。

昨今は、外国人技術者に対してさえ、「うちで正社員にして雇いたい」という派遣先製造業からの申し出は、珍しくなくなりました。しかし、私の知る限り「技術者が喜んで応じ、非常に丸く収まった」という話はとんと聞きません。大手製造業から正社員をオファーされた外国人技術者がそれを断った、ということさえ起こっているのです。

こうした事情から、「新卒がダメなら経験者を調達すればいい」という考え方もままならないのが、製造業の現状なのです。

国内の人材調達は有効か？

話が少し前後しましたが、ここで改めて、会社が新卒以外で人材を調達する方法を整理します。国内で足りないエンジニア人材を調達することがいかに難しいことかを、確認しておくためです。

ざっとまとめると、新しい人材を確保する方法には、次の６つが挙げられます。

①ホームページによる告知

②ハローワークでの求人
③媒体に求人広告を出す
④人材紹介会社を利用する
⑤人材派遣会社を利用する
⑥請負業者を利用する

①ホームページによる告知

自社のホームページで人材募集の告知をしている会社は多数あります。

その大きなメリットはまず、特別な場合を除いてコストは普通、かからないということでしょう。ホームページ作成を社外に依頼している場合は別ですが、社内で制作・更新・公開作業をしているなら、文書を作ってページを増やすだけなので、通常のコーポレートサイト運用管理費用の範囲でどうにでもなります。

しかもそのページを見て応募してくる人は、明らかに会社の仕事内容に興味があって、こちらが求めるスキルや経験とマッチするものを持っている可能性が高いことが予想されます。就職サイトの一括エントリーのような方式とは異なり、たくさんの会社のホームページを見てからわざわざコンタクトしてくるのですから、働く意欲も高い人であることが期待できます。

ただ、一方で大きなデメリットとしては、この方法では応募者が集まりづらい、という側面があります。

大手メーカーは知っていても、その傘下にある多数の子会社の名前までは知られていないのが普通です。はっきり言って、巷《ちまた》では無名に等しい場合も少なくありません。その会社にピンポイントで検索をかけてくる求職者など、非常に稀といえるでしょう。そうした企業の下請け製造業者となると、希望に近い人が現れる確率は、ほぼゼロです。

実際、リクナビやマイナビなどに掲載された求人広告を見て社名を検索してくる人はいても、そうでない場合、「もとから会社名を知っている」人でないと、コーポレートサイトの採用情報にはたどり着かないのが普通です。

ご自身が仕事を探すつもりで考えてみてください。例えば、和菓子のもなかを製造するための機械を作っている会社のホームページの採用情報を検索サイトでの検索から探し当てて、見ようとするでしょうか?

つまり、この方法では欲しいタイミングで人材を確保することはまず不可能なのです。

②ハローワークでの求人

ハローワークに求人票を出すのには、無料で行えるというメリットがあります。ただその反面、いい人材に巡り会う確率はこれもまたかなり難しいといってよいでしょう。

ハローワークで公開されている多くの求人内容は、そもそも条件がタイトなものが多く、そこに集まる人たちの多くは、言ってしまえばハローワークでなければ仕事を選ぶことができないような人たちばかりだからです。実際、後述するように、資力のある企業であればほかの方法で求人をかけており、実力のある求職者はそちらの窓口を利用して企業と接触しようとすることのほうが通常です。

そんな事情があるなか、公共性が高いサービスであるため、ハローワークからの希望者に関する問い合わせや、面接後不採用となった場合の対応などについて、会社はきちんとした手続きをとらなければなりません。結果、どうしても手間が多くて（無料なのに）割に合わない、という印象になりがちなのです。

③媒体に求人広告を出す

ここからは、かなりコストをかけた方法となります。

エンジニア求人系の雑誌やウェブ媒体に求人広告を出すのは、考え方としてはホームページでの告知に似ているといえるでしょう。

社名が知られていなくても、閲覧者数が多い媒体を活用することで、エンジニアリングの経験を持つ多くの求職者の目に留まりやすいというメリットがあります。

ただ一方、お金をかけたからといって、実際に応募があるかどうかは分かりません。その意味で、この方法は、先払いで不確かな可能性にお金を払っているに過ぎない、という見方もできます。いいエンジニアと巡り会える保証はなく、求人広告を出したはいいが、出しっぱなしで終わる可能性も十分考えられます。

そこが、ホームページの告知に似ているわけです。

少し整理すると、求人媒体はまず、広告媒体とエージェント媒体に分かれます。

広告媒体とは、求人企業が直接求人広告を掲載し、広告費用は求人企業が媒体に支払います。

一方、エージェント媒体は、「求人企業から依頼を受けた人材紹介会社」が広告を掲載し、費用は紹介会社が出しています。

エージェント媒体は、求人企業については「会社名非公開」となっているのが普通で、求職者はエントリーによって人材紹介会社への登録を促されることになります。エージェント媒体に掲載されていない非公開求人がいかに多いかを求職者にアピールし、「とにかく一度、うちの人材紹介会社が指定する場所に来てください。そこでプロが話を聞きましょう」という形で求職者を集めるのです。

この面談のことをキャリアカウンセリングとかキャリアコンサルティングなどと呼びますが、実際には求職者の個人情報（履歴書・職務経歴書）を使用して、人材紹介会社が求人企業に営業をかけてよいかどうかの許可を得るのが重要な目的です。

したがって、求職者にとってエージェント媒体を利用するとは、人材紹介によって就職活動をする、という意味になるわけです。

この点、広告媒体は、求人企業が直接広告掲載しているので、ここに求職者がエントリーすると、すぐに求人企業に情報が届き、人事部門などが選考することになります。

広告媒体にもメジャーなものからマイナーなものまでさまざまあり、専門分野に特化しているものも多くあります。

さらに、媒体そのものにグレードがありますが、それは大体、登録者数によって決まっています。というのも、登録者数が多い媒体は、掲載されている求人案件も多く、参画費用（求人企業が媒体運営会社に支払う広告料）も高いからです。

とはいえ、広告媒体を使う求人企業の立場からすれば、その広告媒体（転職サイトなど）が保有する「本当の登録者数」は分かりません。仮に数十万、数百万人の登録者がいると媒体運営会社が主張していても、実際の数は求人企業には分かりません。もしかしたら、10年前の登録者のデータがそのまま削除されずに残っていてカウントされているのかもしれません。そこで求人企業は、今現在、積極的に転職活動を行っている「アクティブ」な登録者がどの程度いるのかを見極める必要があるわけです。

「技術系に強い」などと謳っていても、技術者ばかりをたくさん登録させている広告媒体はまず存在しないといえるでしょう。つまり、高額な参画費用を払っても、その媒体の登録者数の中でターゲットとなる技術者の数は極めて少ないのが現状で、それを各社が争奪しているのです。

そして、もちろん広告とは「採用できた」という結果にお金を払うのではなく、「採用できるかもしれない可能性」に対してお金を払うものですから、1000万円使って誰も採用できない、ということもざらにありえます。

つまり、求人広告を利用する方法ではお金を払っただけで採用はできずじまい、という可能性も否定できないのです。

④人材紹介会社を利用する

お金をかける以上、いい人材と出会える確率を上げたいという場合、人材紹介会社を利用するという方法があります。人材紹介会社に依頼して希望に合ったエンジニアを探してもらう、という考え方です。彼らのほうが人材市場の事情に精通しているため、ピンポイントで人材を〝釣り上げて〟くれる期待は高いといえます。

人材紹介会社への報酬は成果型で、広告掲載よりも高くなることが多いのも、結果に期待できる理由です。通常、人材紹介会社の紹介で採用した場合、その人に設定した年収の3割程度の金額を報酬として人材会社に支払います。例えば、年収400万円で一人採用できたら、依頼した会社は120万円程度を人材紹介会社に報酬として支払うわけです。

これは人材紹介会社にとって、強力なインセンティブになります。

ただし、人材紹介は成功報酬なので、何人の履歴書・職務経歴書を見ても、何人と面接しても、求人企業側が採用しなければ費用（紹介手数料）は発生しません。

人材紹介会社ごとに保有する人材リソースが異なるので、求人企業は１００社以上の人材紹介会社に依頼をかけることも珍しくありません。

にもかかわらず、まったくターゲットになるような技術者が提案されないというのもよくあること。新規の人材紹介会社の訪問を何度も受け、こちらのニーズを散々訴えても、結局、その人材紹介会社はヒアリングをしたきり、誰一人提案することなく、連絡が途絶えてしまう。そんな出来事は、まったく珍しくありません。

仮に「この人はどうですか」と人材が提案されたとしても、ここにも（技術面以前の問題として）マッチングの難しさがあります。

求人企業からすれば、人材紹介会社の仲介によって、自力での求人ではめったにお目にかかれないような求職者が現れたとすれば、採用意欲は高まるものの辞退されやすい。求職者からすれば、同様にめったに選考の機会が得られないような会社から面接に呼ばれたりすれば、入社意欲が高まるものの、結局見送りとなりやすい。

もちろん「すごく採用したい人」が採用できれば、あるいは、「すごく入りたい会社」

に入れれば双方にとって幸福なことですが、それがなかなか難しい。

実際は、「悪くはないけど採用するかどうかちょっと迷う人材」と、「もっと他の可能性があるような気がして入社するかどうかちょっと迷う会社」の組み合わせ、もしくは、どちらか一方がより妥協するといった絶妙のバランスがあって、やっと成立します。

しかし、人材紹介会社はビジネスですから、相手が気に入った目が出るまでサイコロを振り続けるのを待つようなマネはできません。どんどん採用、入社させていく必要があります。そこで、目の前の1件の成立をつくるために、求人企業側にはもっとハードルを下げるように促し、求職者側にはその案件で妥協するよう説得するのです。

求人企業が仮に「ESPRIT CAMで、タービンブレードの5軸加工プログラムを作成した経験者」が欲しいとしても、そういう人はまず現れません。やがて頃合いを見て、「そういうことに興味のある人」とか「やる気のある人」でいかがでしょうか、と助言するわけです。

求める人物像（採用条件）のディテールは、こだわり過ぎると応募者はゼロになってしまいます。しかし、条件緩和をするならそもそも紹介手数料を支払ってまで中途採用する意味が失われますから、求人企業としても譲れないラインはあるでしょう。

さて、このような人材紹介会社の仕組みを活用して、いいエンジニアが見つかればよいのですが、実はなかなかそうはいかないのが実情です。それは、このあとも度々触れられることになりますが、技術系人材はとにかく求人ニーズとのマッチングが難しいからです。

例えば、営業担当者であれば、対法人、対消費者、対ＶＩＰなど、営業スタイルにタイプはありますが、その道に慣れていて実績がある人なら、あとは自社の商材を覚えてもらえば、すぐに現場に出てもらうことが可能だろう、と想像できます。ＭＲ（医薬情報担当者）の経験があって医師への営業で実績をあげてきた人なら、おそらく別の業界で社長への営業を任せても、十分こなせるでしょう。事務・経理なども、ある程度資格や実績についてヒアリングをし、実力自体は十分だと分かれば、「あとは会社のやり方を覚えてもらえばイケそうだ」というような判断は可能です。

要は、他社で十分な経験の蓄積があれば、「即戦力になるだろう」と、採用に比較的踏み切りやすいのです。

しかし、技術系だとなかなかそうはいきません。なぜなら、現場で求められている仕事の多くは非常に専門性が高く、必要とされるスキルも針の穴を通すようなピンポイントさが期待されているからです。

その会社の設計・製造工程上、補いたい人材の穴があるとして、樹脂金型とプレス金型とはまるで違うものですが、実際にはプレス金型の求人に樹脂金型の経験者が紹介されれば、十分にうまくいったほうだといえます。

いくら設計の経験があるといっても、結局一から仕事を覚えてもらわなければならないとしたら、かなりの割高になってしまいます。

こうした事情のため、ずっと応募をかけているのに欲しい人材に出会えないということはよくあります。特に日本人は、できない仕事を「できる」と言って応募してくるような無茶はあまりしませんから、「マッチングで行き違いのないように」と、求める技術や経験を詳細に設定すればするほど「我こそは」と応募する人は現れにくくなるようです。エントリーする人が少なく、そこからさらに人材紹介会社のふるいにかかるせいで、ずっと面接の場すらセッティングできない、といった状況が続くことも珍しくないのです。

人材紹介会社の「ふるい」とは、選考基準の厳しさだけのことではありません。人材紹介会社は、その「めったにいない技術者」をどの会社に紹介すると、利益が最大になるかを考えます。報酬が初年度理論年収の30％ならば、年収の高い会社（高額な給与を支払える会社）に優先して紹介するようになるのは必然です。年収４００万円ならば報酬は

120万円。年収600万円なら、報酬は180万円。人材紹介会社にとっては後者が良く、候補者にとっても圧倒的に後者が良いでしょう。

特に中小の製造業者の場合、一人の守備範囲が広いのが普通です。いままで大手の製造業にいた技術者であれば、仕事の分業化が進んでいるため、中小製造業から見ると、「それしかできないのに、そんなに希望給与が高いのか」となります。

あれもできてこれもできてそれも知っている、そんな人材を厳しい費用制限の中で見つける必要があるのです。中途採用した人材に一から教えるのは現実的ではないため、どうしても要求水準が高くなり、即戦力を求めていつまでも希望する人物に出会えない。少ない残存戦力で苦しいやりくりを余儀なくされてしまいます。

そんななか、幸い求人企業側と求職者側のニーズがうまい具合にバランスがとれ、雇用契約が成立したとしても、入社後に問題が発生しないわけでもありません。求人企業が高額な紹介手数料を支払っても、その人材が必ず企業に定着する保証はないからです。

定着しなかった場合のリファンド（人材紹介会社が求人企業に行う返金）は、1カ月で辞めた場合は受け取った紹介手数料の75％、2カ月で辞めた場合は50％、3カ月で辞めた場合は25％などとなっています（基準は会社によって異なります）。人材紹介会社としては、紹介者が「辞めたい」と訴えても、なんとか3ヵ月は我慢してもらって、返金が発生しないようにしたい、といった事情があります。

ただ、人材紹介会社もビジネスですから、市場価値のある求職者（candidate）は、リファンド期間を過ぎれば退職してもらって構いません。そういう人材は、何度でも別企業に紹介できたほうが、都合がよいからです。

⑤人材派遣会社を利用する

かくして新規にエンジニアをプロパーとして採用することを諦め、そのうえで人材不足を補おうとする際、真っ先に浮上する選択肢が人材派遣会社の力を借りる、ということになるわけです。

ただ、派遣会社から人材の提供を受けるとなると、どうしてもコストが高いことがネックになりがちです。例えば、事務系の人材派遣なら時間単価2500円で調達可能なところ、技術系なら3500円、高ければ1万円程度はかかるのが、相場としては常識です。

それはやはり、エンジニアとしての専門的なスキルを備えた人が少ないからです。人材派遣会社は専門スキルを有する技術者をどうやって仕入れるのか。オフィスでただじっと待っていれば自動的に技術者が登録するわけではありません。実際にそうした人材を集めるためには相当なコストをかけています。

それでも技術者がいないならば、自分で育てるしかありません。そうなれば、コストだけでなく時間も莫大にかかります。

それらのコストを回収する必要があるため、「見つけにくい技術者」「育てにくい技術者」であればあるほど、派遣単価は高くなります。

しかも、その派遣社員のために開発環境（ソフトウエアなど）を用意しなければなりません。未経験者だからあるいは派遣社員だから、開発環境が要らないわけではありませんし、教育用だからacademic versionで良いわけでもありません（学生ではないのだから）。派遣社員を使う側の思惑としては「忙しい時だけ、人材を補強したい」という望みがあるわけですが、それは不可能です。収入がより安定しづらくなるため技術者が嫌がります。短期の仕事は基本的に、技術者には不人気なのです。

第一、優秀な技術者の場合、長期で、正規雇用で、好待遇な求人がたくさんある中で、派遣で、短期で、しかも引っ越しを伴うようなロケーションの会社に（多少給与が良かったとしても）わざわざ行きたいという理由は見当たりません。

これは、派遣期間と雇用期間が同一（派遣先がなくなれば解雇）の派遣会社では、特にありえない選択といえるでしょう。

そこで、技術系の場合、派遣会社が常時雇用している技術者を一定期間派遣するというケースが多くなります。

この場合、派遣会社に常時雇用されている技術者の給与は、派遣先での稼働の有無で変動することが多く、例えば、派遣先で就業しているときは100%、そうでないときは待機とみなして70%などとなることが一般的です。

となると、やはり短期の仕事は派遣会社にも（当然、常時雇用の技術者にも）敬遠されやすくなります。

「派遣元企業と派遣先企業との間の派遣契約の更新が3カ月ごとというだけで、実際には長期の仕事です」と言われても、技術者からすれば、それは派遣先企業の方便にしか聞こえないでしょう。「3カ月ごとに契約終了になるかもしれない可能性」をいつも抱えながら、「それでもいい」と思える人もまた少ないに違いありません。

ただこの点については、「実務経験あり」の肩書きが喉から手が出るほど欲しい未経験者であれば、短期の派遣であっても引き受けるかもしれません。しかし、今度は派遣先企業にそういう人材への需要がない。「それなら社内にいる他部門の人材を配置転換してゼロから教えるほうがいい」と考えるのが普通でしょう。

派遣期間のことを度外視しても、派遣先企業が選べる立場かと言われれば、そうとも言い切れません。

特に、今どきの外国人技術者は、ほぼ100%の確率でFacebookをやっていると思って間違いありません。友達や知り合いがどこの会社でいくらの給与で働いているかをお互いに知っています。地方より都心近くのほうが、あるいは同じ地方であっても生活に便利なところのほうが「いいね！」となるし、給与の高い会社のほうが「いいね！」となります。

というのも、普通自動車の運転免許を取ることのハードルは高く、自動車学校に通ったり自動車を購入維持したりできる外国人技術者は多くはないからです。つまり、車がないと生活や通勤が困難なロケーションにある会社だと、外国人技術者ですら、派遣で使うのは難しいのです。

また、外国人技術者本人が地域や会社に溶け込んで違和感なく生活できたとしても、技術者の配偶者（女性が技術者で男性が家を守る場合もあります）が、日本語でコミュニケーションできず、地域に溶け込めないこともあります。

そうなると、技術者は会社の中で重要な戦力となっていても、配偶者が「母国に帰りたい」となり、家族そろって帰国、ということにもなりかねません。

配偶者が社交的な人で、家族滞在ビザの範疇で、つまり1週間に28時間以内の仕事をして、アルバイト先に友人などができれば、家庭も落ち着き、技術者も精神的に安定することになりますが、配偶者がずっと部屋に引きこもり、夜遅く帰ってくる技術者しか話し相手がいない、といった状況では、なかなか働き続けてもらうのが難しくなります。

こうした問題は、通常、未然に防がれるようなことがありません。派遣会社は派遣者のことは気にするけれど、派遣者の配偶者が気分よく日本で暮らしているかどうかまでは気を配ったりはしないからです。

外国人技術者の安定的な確保が難しいのは、日本での就業がある程度長くなった結果、日本的な価値観を持つようになるから、ということもあります。「派遣ではなく正社員がいい」という考えもその一つ。とにかく今の会社を辞めて、正社員の仕事を探し始めるのです。

その際、「どの会社の正社員でも、派遣よりは待遇がよくて安定するはずだ」と思い込んだり、転職サイトにある「モデル年収〇〇万円」といった文言を「必ず自分ももらえる」

と信じたりする傾向もあり、こうなると派遣会社としても引き留めるのは厄介です。

さらに、日本人とは比較にならないほど若いうちに結婚して家族を形成する傾向があるため、その点でも独特の配慮が必要です。外国人ももちろん、子どもの将来を考えますし、より好待遇、より安定した職場を考え始めるのは、当然の成り行きといえるでしょう。

こんなとき、派遣元企業はその技術者を派遣先企業に派遣し続けるには、請求金額を上げてもらわざるをえないのですが、それが叶わないこともよくあります。しかし、だからといって、外国人技術者は、派遣元企業が引き留め交渉の材料に月額1万円アップをオファーしても、通常納得しません。

「私は明日から会社（派遣先）に行かない。会社に行かないと○○（派遣元会社）困ります。どうしますか？」

そんなギリギリの駆け引きは、毎日、日本中で行われていることでしょう。

派遣会社も苦労しているのです。

驚くべきことに、派遣元会社が用意したアパートの部屋へ、ある日突然、ほかの派遣会社の社長が現れ、「今の派遣会社より2万円高い給与を支払うけど、どうする？」などと持ちかけ、その場で引抜きを掛けることもあります。

理由はどうであれ、派遣先の会社からすればたまったものではありません。せっかく今まで仕事を教えてきたのに、それがすべて水泡に帰すのですから。

ということで、生活が決して便利とはいえないような地方で、車を持たない家族持ちの外国人技術者がもしも3年以上派遣で安定稼働しているとすれば、その製造業者はかなりの幸運を手にしているといえるでしょう。

⑥請負業者を利用する

採用というかたちをとらずに人材の穴を埋める方法には、請負業者を利用する手もあります。

請負業者を利用することで、例えば、製品の基本設計情報を渡し、それに対する部品設計や詳細設計のデータを作成してもらって納品を受ける。そうしたかたちで、従業員の下流工程の負担を軽減していくことが可能です。請負会社はすでに多数存在していますから、そこから業者をピックアップして仕事を依頼できれば、派遣社員を起用するよりも手っ取り早く問題は解決できそうにも思えます。

ただ、ここでも技術と設備に関するマッチングの壁が立ちはだかります。

請負会社は、エンジニアと設備（パソコンやソフトウエア環境）を整えて顧客の依頼を待つわけですが、そもそもエンジニアがこちらの求めるスキルを持っているかどうかが問題です。

プラスチック成形の設計を主に請け負っている請負業者だといっても、依頼は自動車の内装関係が多いのか、内部機構のコネクタ周辺が得意なのか、それともオモチャのデザインが専門なのか……。内部のエンジニアが蓄積している経験値によって、スキルの幅も備えている感性もまるで違ってきます。

自動車内部の接続部品の設計といえば、最高クラスの精密度が問われますから、それができるエンジニアがいるとなれば、その請負業者はかなり実力があるといえるかもしれません。一方、アニメ作品をオモチャにするといった仕事を大手玩具メーカーから請け負っているような会社は、「愉快げな曲線を描く」といった、感性に訴える微調整が得意な可能性が高いです。

このように腕のいいエンジニアを抱えた請負業者は確かに存在するものの、「自分の会社が必要とする技術を持ったエンジニアがいるかどうか」は、実際のところ会社のプロフィールや実績を確認するだけでは分からないことも多いのです。

仮に腕のいいエンジニアがいる請負会社が見つかったとしても、ソフトウエア環境がマッチしなければ、依頼は断念せざるを得ません。マイクロソフトのワードやエクセルといったアプリケーションであればどこの会社でも使っていますが、エンジニアリングに用いられる設計、解析などのアプリケーションはそう簡単にはいきません。

ライセンス料は1アカウントについて初期ライセンス（Primary License Charge, PLC）が数百万円、それとは別に年間使用料（Annual License Charge, ALC）が数十万円かかるのはふつうです。ALCを支払わなければ、またPLCから買いなおしです。PLCよりは安く、ALCよりは高い費用を毎年支払うSubscription方式も広がりましたが、いずれにしても技術者1名が使用する開発環境を用意・維持するコストは相当高額です。

多種多様な受注に備えて様々なソフトウエアを導入している（しかも何年も維持し続けている）請負会社はごく一部です。

3D CADシステムには、CATIA V5を使っているのか、iCAD SXを使っているのか。その環境が異なるだけで、その請負会社には仕事が出しにくい。IGESのような（異なるCAD間でデータをやり取りする）中間ファイルではなく、CADの生データでやり取りできたほうが好都合なのです。実際は、自社の仕事がしやすいように特殊なチューニングが施してあったり、オプションで追加したモジュール構成になっていたりする場合もありますし、請負会社がまったく同じソフトウエアを持っていたとしても、それが古いバージョンで、提供したファイルが開かないということさえありえます。

もちろん、完全に同じ開発環境を用意する設備費用の面倒を見れば話は別ですが、請負会社に仕事を依頼するのは、必要なタイミングで必要な量だけ動いて欲しいからですので、ライセンス料金を通年で負担するのは現実的ではありません。請負会社に費用負担を相談することはもちろん可能でしょうが、「こちらが投資の分だけ仕事をくれますか?」という話になりますから、同じことです。

そのうえ、実力のある請負会社は限られていて、大手が系列子会社とともに囲い込むように仕事を出していることがほとんどです。実力トップの請負会社が擁する顧客に割り込んで、今から太い絆を築くというのは、かなり難しいでしょう。完全な信頼関係があって、完全に業務内容を理解しているという点では、その製造業を定年退職したOBが考えられますが、何しろ個人なのでキャパシティが小さく、いつまでも継続的に依頼をするのも難しいと言わざるを得ません。

となると、そのほかの請負会社への依頼を検討することになるわけですが、その場合、派遣会社で話したようなモチベーションの問題がつきまといます。

請負会社に勤めるエンジニアも、前提として、メーカーの正規社員になりたいと思っている人が少なくありません。

請負会社が売上を上げるには、受注を増やさなければならず、受注を増やすためには人材を採用しなければならないのですが、メーカーが技術者の採用に苦労している状況ですから、請負会社でも当然、優秀な人材の採用は難しいといえます。

そこで、請負会社は未経験者や経験の少ない人を雇って育てようと考えます。そういう人を一から教育していくことの大変さ、かかる時間と労力とコストがいかに膨大かということに関しては、どの請負会社でも異論はないはずです。

ただ、請負会社の社内にも、できる技術者とできない技術者の格差が大きく存在します。仕事は当然、できる人に集中するので一部の人に重い負担がかかります。

そんななか、未経験者あるいは経験の少ない状態で入社した人は、請負会社で身に付けた経験やスキルを活かして、次の舞台（メーカーの正社員）にステップアップしようと考えてもおかしくありません。

結果、できる技術者もそうでない技術者も、「今の会社で働き続けたい」と考える人は数が減っていきます。日常的な業務を行いながら、「次、どうするか」を意識する人が増えていくのです。

請負会社には、若い人を採用し、育て、定着させ、しかもその人数を増やしていくという課題があります。もしそれができないと、社内は高齢化し、転職できない人の集団となってしまうのです。

そのような馬力もモチベーションも高くない請負会社に仕事を出さざるを得ない企業は、5年後、10年後を見据えたとき、請負会社に依存した状況がこのままでよいのかどうかについて、よく考えなければならないでしょう。

このように、国内で手薄なエンジニア人材を補強しようとするのは、ますます難しくなっているのが実情です。人材を求める会社の不満は、「どの方法も、コストに見合った効果がない」という一言にまとめることができるでしょう。

それなら人件費が安い海外に目を向ければどうか、という発想に当然なってきます。

海外からエンジニア人材を調達できれば、人件費を抑えることができるので、もっと気軽に試行錯誤ができるかもしれません。

コラム　オフショア開発・ベトナムのホンネ 1

ベトナムのオフショア開発ルームで働くベトナム人エンジニアの声をご紹介します。

▼技術が勉強できて給料もいいので楽しい

（自動車部品メーカー・リーダー・男性）

「自動車部品メーカーの仕事で、ブレーキのシミュレーション解析をしています。メールで指示をもらい、シミュレーションアプリを使って解析をして、結果のデータをサーバーに上げるのが私たちの仕事です。日本からは3カ月に1回、担当者がベトナムに来て仕事を教えてくれます。

仕事は忙しいですが、この仕事を選んだのは技術専門の仕事で、給料がほかの会社よりも高いからです。時々残業がありますが勉強になっているし、大きなトラブルもなく、不満は特にありません。毎日、Web会議で日本語を話すことができるのも楽しいです。

将来的には日本へ出張し、日本語をもっと勉強したいです。目標は日本語能力試験

2級（N2）の合格です。
10年後は、もっと技術レベルを上げて、日本で働きたいです。エンジニア全員が参加する社内のイベントでは、社員旅行とサッカー大会が特に好きです。バドミントンとボウリングも好きなので、その大会もあるとよさそうです。また、ダンスやカラオケのパーティーがあっても楽しいと思います」

▼より難しい仕事ができるようにレベルアップしたい
（工作機械メーカー・リーダー・男性）

「工作機械を制御するアプリケーションの作成を担当しています。機械の仕様に従ってアプリケーションを作成し、問題を報告しながら完成させていく仕事です。日本側とは毎朝9時に30分くらい、その日の作業内容と業務内容を打ち合わせします。その後問題があればメールで聞く、というやり方です。機械設計チームが隣の部屋にいて、時々打ち合わせをしながら仕事をしています。

仕事は難しいですが楽しいです。自分にとって初めての機械について深く勉強できる点がいいです。

以前の仕事はアプリケーションや組み込みシステムの開発を行うソフトウエアエンジニアでした。現在の仕事はとてもやりがいがあるので、もっと勉強して難しい仕事ができるようになりたいです。日本語は専門用語が難しいですね。文化の違いに関しては、日本で仕事をしていたこともあるので、問題ありません。レベルアップして、またいつか日本で働きたいと思っています」

第2章

コスト削減・優秀なエンジニアの確保・専任チームの結成
エンジニア不足の解消には、海外委託のオフショア開発が最適

海外の人材を調達するという選択肢

あわよくば新規採用を視野に入れつつ、派遣社員や請負業者を利用しながら、だましだましで現状の人手不足をしのいでいる……というのが、多くの製造業の現場の実態ではないでしょうか。

中堅社員の負担を減らすには、とにかく〝手〟を増やすしかありません。しかし新規採用を通して即戦力と出会える確率はほとんど皆無に等しい。かといって、ある程度経験のある派遣社員に来てもらい、自社の業務のイロハを教えながら仕事を分担させるのはコストがかかり過ぎる。しかも派遣社員は、繁忙期だけ供給を受けるような利用の場合、前回教えた派遣社員がまた次の機会にも来てくれるとは限らない。つまり、教える時間と手間、何より費用がムダになる可能性も高いでしょう。

請負業者の場合、技術×環境という二つの側面からのマッチングが難しい場合が少なくありません。仕事ぶりを観察することができないせいで細かい指導はできず、納品データの出し戻しのやり取りの手間もバカにできません。したがって、社内の従業員の負担を大幅に減らす手立てとしては決定的とは言い難い……。

会社のエンジニア部門の人的体制の穴を国内人材の調達によって塞ごうとすると、どんな方法であっても、「帯に短したすきに長し」という評価になってしまうというのが、多くの経営者および部門長が長年抱いている感覚ではないかと思います。もはや、ずっとこの問題が解決されないせいで、頭を悩ませるのに疲れてしまったという方もいるはずです。

国内人材の調達で不満が生じてしまう大きな原因の一つは、やはりコストです。コストがかかるから、雇用をするにしても、人材派遣を利用するにしても、請負業者を利用するにしても、「それなら、もっといい人が欲しい」「より的確に動いてもらえるサービスを利用したい」といった見返りを求める気持ちが強くなってしまうわけです。

もちろん「安かろう、悪かろう」では困りますが、ここで人材を調達するコストをある程度大幅に削減することができたら、ソリューションに対する感想も変わってくるはずです。有り体に言えば、もし「値段の割に、いい人を使えている」という状況を生み出すことができれば、人材不足の状況下でも希望を持つことができるはずです。

少し前置きが長くなりましたが、そんな考え方から、今度は外国人の人材を調達して人手不足を解消する可能性について考えてみたいと思います。

技術大国日本で仕事をしたいという若者は、海外に目を向ければ数え切れないほどいます。

特に中国やインド、東南アジア諸国には、母国で工学系の大学に学び、現地の日系企業に勤務した経験を持ちながら、日本で働くことを希望している人は多数存在します。彼らにとって日本の製造業界で働くことは、キャリアアップのためには重要なプロセスですから、働くことを通して学ぶことに貪欲なのです。日本で働きたいという人の場合、日本語の習得にも熱心で、すでに日常的な会話ならある程度こなせるレベルで仕事を探している、という人と巡り会うことはそれほど難しくはないでしょう。

日本で働いてもらう場合でも、日本人を起用するよりは人件費を抑えることが可能です。いずれにしても現場の専門性は教育せざるを得ないのだとしたら、外国人人材を採用したほうが「割に合わない」という印象は持ちづらいかもしれません。

つまりは、コストを抑えた人材調達が可能になっていくのではないか、というわけです。

以前は外国人技術者を正規社員として雇用する会社は極めて少なかったのです。ところが今や、中小企業でも外国人技術者の正規雇用はさほど珍しいことではなくなってきています。なかには、外国人技術者が設計部の課長などの役職についている場合も珍しくありません。

もっとも、そうした外国人技術者の良し悪しは一緒に働いてみて初めて分かるもの。拙い日本語による履歴書と1、2回の面接でいきなり正社員として雇用することには少なからずリスクがあります。

よくある話では、外国人技能実習生として3年間（ないし5年間）製造現場で一緒に働いて信頼関係もでき、「この人なら大丈夫」と判断して正規雇用したいと思っても、実習生は帰国しなければならない、というケースです。彼らは名目上、日本で習得した技術を持ち帰って母国の発展のために貢献しなければならないのだから、再び日本に呼ぶのも難しいのです。

外国人技術者をしばらく派遣で使ったうえで正規社員にするのなら、ミスマッチの失敗は少ないでしょう。しかし、普通はそこまで都合の良いやり方は、派遣会社が承諾しないでしょう。前述したように、見つけるのも育てるのも難しい専門の技術者は派遣会社にとって極めて貴重な資産であるからです。

すると、海外人材の活用には、大きく二つの考え方があると思います。

①国内で外国人の調達を受ける
②海外で外国人の調達を受ける

つまり、なんらかの仲介者を利用して、外国人を用いる体制を構築する、というわけです。本題となる「オフショア開発」は②に入るトピックですが、その前にまず、①について振り返っておきましょう。外国人を直接雇用するのは現実的ではないとすると、残る大きな選択肢は、次の二つに絞られるのではないかと思います。

①派遣社員を用いる

②技能実習生を受け入れる

順に見ていきます。

海外人材の派遣は人が集まりやすい？

専門の仲介会社や派遣会社を利用することで、日本人の派遣社員の供給を受けるのと同じように、海外人材を派遣社員として供給してもらうことができます。先に挙げた国々の現地事情に詳しく、ネットワークを持った仲介会社を通して、必要な分野の技術を持ったエンジニアを集めてもらうわけです。仲介会社は各国でエンジニアを募集しており、エンジニアは特に日本の企業で働きたがっている人が多いので、この方法に踏み切ることは実はそれほど難しくはありません。

なかには「人が集まらないのでは？」という心配を抱く方もいるかもしれませんが、今や日本に海外人材を派遣供給するビジネスは、業界の中でイニシアチブ争いが盛んに行われるほど注目されています。人材流通を扱う業者にとっては、人手不足は商機ですから、さまざまな柔軟性を備えて顧客の依頼に対応することをうたう派遣会社・仲介会社は、探せばすぐに見つかります。

日本人の人材を集めるよりは、かなり費用を抑えることが可能ですから、希望の人数と希望の専門分野の素養を持った人材の調達を受け、比較的長期での起用を前提に仕事を教え、戦力に育てていくことも不可能ではありません。

日本人の新卒だと、理系の知識が多少あっても、仕事経験はゼロですから、アプリケーションの使い方から教えなければなりません。それなら外国人であっても、エンジニアの仕事を数年間したことがある人のほうが、いきなり仕事そのものについて教え始めることができるので話は早いのです。

働きたい、学びたいという意欲も外国人のほうが高いことが期待できます。昨今の日本人の若者には「生活が安定していればいい」という思いが強く、出世欲や上昇志向の弱い人も増えてきたといわれていますが、開発途上国や新興国の人たちは、母国の経済が上り調子であるように、自分も成長してチャンスをつかんで、もっと稼げるようになりたいと考えていることのほうが普通だからです。

仕事を教え、任せる側からすれば、国は違えど、そういう意欲的な人材のほうが、一緒に仕事をしていて楽しいと思えるのではないでしょうか。

ただ、このように海外人材の供給を受ける方法には、二つの大きな懸念があると、私は思います。

それは、専門分野に関するマッチングと職場の魅力です。国内の人材派遣においても、これらのハードルはすでに言及済みですが、海外人材を派遣で利用する場合、両者はさらに強調された形で、利用者側の企業に突きつけられることになると考えられます。

外国人人材は意欲的ゆえに失敗に終わることも……

顧客企業は、必要なスキルや経験を提示して「こんな人が欲しい」と人材派遣会社に希望を伝えるわけですが、そのとおりの人材の供給を受けられるかどうかは、仲介役を務める派遣会社の力量に大きく左右されます。

海外でエンジニア系の人材ネットワークを豊富に有し、かつ、人材の質の吟味を的確にできることが求められますから、働きとしては国内人材での派遣よりも難しい側面はあるでしょう。仲介役は、言葉や文化、仕事に対する考え方や商慣習の違いをよく理解していなければなりませんが、私の知る限り、この辺りに十分な実力を以て派遣サービスが提供されている様子は、正直なところあまり見かけません。

結局は人と人との相性の面もありますから、一概に派遣会社の質がどうこうという話にはならないかもしれませんが、端から見ると、顧客企業の希望とそれに対して供給される人材のマッチングは、かなり大雑把です。

まとめると、外国人技術者の派遣を行う会社の力量は以下の3点に求められます。

(1) 技術系に特化している。

(2) 海外現地法人等拠点を有している。

(3) 多くの経験と実績、ノウハウがある。

日本以上にクチコミや評判が大きな影響を持つ社会であるため、現地ではエンジニアが自分の友人に薦めるくらい肯定的な評価が得られている会社であれば文句なしです。

したがって、海外に拠点などを持たない通常の国内派遣だけをやっていた会社が、たまたま登録者に外国人技術者が混ざるようになったから最近やり始めたというだけであれば、外国人の技術者を専門にしている派遣会社とは、さまざまな面でクオリティが大きく異なると考えておいたほうがよいでしょう。

外国人を起用するときの難しさの一つには、彼らの「とにかく日本で働きたい」という気持ちが強い、ということが挙げられます。

日本に行けばチャンスがある。日本で仕事をスタートできれば、あとはどうにでもなる。そんな風に思っている人も少なくありません。募集があれば、なんでも応募し、できない仕事でも「できます」という。海外では（と、一概には言えないにしても）、実際以上の実力があるように見せて自分を高く売り込むセルフプロモーションは普通のことです。

一方、日本では、自信がある仕事でも「うまくできるかどうか、やってみないと分かりませんが……」と謙遜する人も少なくありません。特に製造業に関わる人は、厳しい品質改善に慣れていますから、できないものを「できる」とはまず、言いません。顧客の要望に対して、１００点の仕事ができたと思っていても、口では「まだ改善の余地はあると思いますが」と、80点の仕事であるかのように見せるような振る舞い方が〝普通〟の世界です。

だから、「この分野の仕事はできる」といって派遣された外国人が職場に現れたなら、当然、かなりの対応力を期待します。しかし、それが実は非常に未熟で、ほとんど未経験に等しくて……という事実があとで発覚するパターンも多いのです。

仕事を振られたあとで、なんとか自分で勉強しながら仕事を覚えてくれる人なら、まだいいほうです。なかにはごまかして「やったふり」で済ませる人もいます。先ほど、外国人は意欲的で上昇志向が日本人よりも強いと言いましたが、それは「エンジニアの勉強をたくさん積んで、技術を身に付けたいと思っている」と同義ではありません。なかには「とにかく、たくさんお金が欲しい」という理由だけが先行して日本での就労を希望している人も少なくないのです。

というのも、外国人は国籍にもよりますが、日本人に比べれば自分の利益追求に熱心だといえるし、転職回数が増えることを気にしない人が多いからです。

そこで、多くの場合、常に自分自身をもっと高く買ってくれる会社（もっと高給で雇ってくれる会社）はないかと考えています。経験やスキルの上昇は、ダイレクトに金額に反映されるべきだと考えているし、金額が上がらないのであれば、自分の能力が評価されていないのだと受け取ります。

日本人であれば、ほとんど給与が上がらなかったとしても一定のモチベーションを維持するような局面でも、外国人にそういう振る舞いは期待できません。金額への反映がないと、あからさまにやる気をなくしたりもすることはまったく珍しくありません。

そんなふうに稼ぐことに貪欲な外国人技術者の採用では、「MasterCAMで5軸が使える」というから起用したのに実際には3軸しか使えない、といったことが起こりえます。「日本語は仕事でも日常会話でもまったく問題ない」と聞かされていたのに簡単な会話も難しい、といったことも。

その結果、マッチングされた人材が供給されているはずなのに、なぜかそういう人が現れてしまうわけです。

もちろん、派遣会社も応募者の履歴書には目を通しています。

しかし、そこで1の実績を10のように語っているとしたら、なかなかそれを暴く術はありません。就職活動では、ある程度の自己PRを誰しもするものですが、海外エンジニアたちのそういう行いに対し、派遣会社・仲介会社のフィルタリング機能がしっかり働いていないと、〝はずれ〟を引いてしまうことが頻繁に起きてしまうのです。

これはインド人のレジュメに比較的多い印象ですが、そのプロジェクトはどういうプロジェクトなのかということについては熱心に書くものの、実際にそこで自分が何をやったのかについて言及しないのです。あるいはそれをやった期間が厳密ではなく、何年何カ月それをやっていたのか分からない、ということもあります。

もっと簡単なすれ違いで言えば、例えば〝design（設計する）〟という言葉の意味が、日本人と外国人では大きく異なるということも当たり前にあります。例えば、落花生の殻を外す機械を設計するという場合、日本では上流の構想や仕様を検討するところからが「設計」であるのに対して、日本の海外拠点で下請け的な仕事をしている外国人技術者にとっては、すでにできあがっている2D図面をせっせと3Dにモデリングしていくことが「設計」だと思い込んでいたりもするからです。

つまり、「あなたは設計ができますか?」という質問に対して「できます」という答えが返ってきたとしても、その意味が大きく異なっているわけです。

また、大学に行きながら仕事をするということもよくあることで、この点でも日本の常識は通用しません。

日本語能力試験の結果が記されていても、実際に話をしてみるとN2合格者なのに下手だったり、まだN4なのに上手だったりすることも非常によくある話です。

派遣会社・仲介会社が「ふるい」の役割をきちんと果たせるかどうかは、多くの場合さまざまな〝罠〟が潜む履歴書を読む〝目利き〟が社内にいるかどうかにかかっています。

派遣会社や仲介会社が「現地の人材を日本に送り込んでなんぼ」としか考えていない場合、人材は選別して減らし過ぎないほうがいいという話になりますから、目利きなどは必要ありません。当然、社内にそうしたノウハウが育つ土壌もない、ということになってしまいます。

利用者側の経営者や部門長がこうした事情に不慣れだと、クレームを訴えたとしても、「外国人なんだから、ある程度は仕方ないですよ。あとは現場で解決してください」とあしらわれてしまうかもしれません。「なるほど、そんなものか」と納得しては、現場の疲弊は一向に解決されないままです。

職場が外国人人材に見限られることもある

国内の派遣社員についての際にも言及しましたが、ロケーションを含めた会社の魅力は、外国人人材を活用する際にも、重要なカギとなってきます。

例えば、北米では派遣社員を使う場合、時給100ドルを超えるオファーが必要なことが普通にあります。というのも、アメリカでは車通勤が常識だからです（オフィス街の近くに住んでいるのは本当の高給取りばかりです）。

しかし、日本で海外からの派遣社員に同様のオファーをするのは、費用の面からいって、不可能と言わざるを得ないでしょう。かといって「本社や工場の近くに住んで欲しい」という相談は虫が良過ぎます。当然、難色を示されることは珍しくありません。

それはそうでしょう。製造業の現場は大企業、中小企業を問わず、どうしたって〝いなか〟になってしまうのです。「この近くに住んで」と言われて喜んで応じる人は、まずいないと考えるべきでしょう。実際、日本人だって大抵もっと住みやすい街から通勤しているのです。

すると、人材としてはニーズにマッチしているのに、通勤の条件が合わずその人を確保できない、という状況も生まれてきます。もちろん、車通勤にかかるコストの面倒をみることができればその限りではありませんが、自動車を買い与え、保険関係の手続きを済ませてやり、ガソリン代や自動車にかかる税金・保険料も加味した金額で時間給を支払うとなると、利用者側として割安感を得られるかどうかはかなり怪しくなってきます。

こうなると、徒歩は難しくとも、自転車あるいは電車・バスなどの公共機関を利用して通える（または、通ってくれる）外国人の中から、ニーズに合った人材を探すしかありません。しかし、そんな人はいないのです。

すると結局、地元の派遣会社に登録している日本人を使うしかなく、第1章で述べたような矛盾を抱え込むことになってしまいます。

いかに日本の会社で働けるといっても、外国人エンジニアにしてみれば、条件が合わないのならそこであえて働く理由はありません。彼らは「日本で働きたい」とは強く望んでいても、最初から「特定の会社で働きたい」というふうには思っていないからです。土地にも人にも縁のない状況からのスタートですから、とにかく見ているのは労働条件だけ。そんななかで、win-winの関係を生み出すのは、意外と難しい相談なのです。

外国人の派遣人材を活用する選択肢は、たしかに日本人の技術者派遣に比べれば、多少コストを抑えることができます。しかし、日本に招聘している時点で、日本人と同じ光熱費がかかり、インターネットや携帯代がかかり、社会保険が引かれ、住民税もかかる。外国人だからという理由で、派遣費用が日本人の半額になるわけではありません。むしろ毎年金額上昇は日本人以上に必要かも知れず、帰国のリスクもあります(子供の初等教育では、日本の小学校に行かせるべきか、帰国して母国の小学校に行かせるべきか、という問題)。

仕事ができるようになって依存度が高くなり、その人がいないと困るという状況になってもなお、はっきりと日本人の技術者派遣よりコストが安く、安定稼働ができれば良いのですが、すべてがそう上手くいくわけではないのです。

技能実習生の活用で負担は減るのか？

次に、技能実習生を受け入れ、彼らに現場の下流工程を任せる選択肢の可能性について考えてみましょう。

外国人技能実習制度は、厚生労働省によれば、日本が「先進国としての役割を果たしつつ国際社会との調和ある発展を図っていくため、技術又は知識の開発途上国等への移転を図り、開発途上国等の経済発展を担う『人づくり』に協力することを目的」として、始まりました（平成28年〈2016〉11月公布、翌年11月施行）。

対象職種は、農業、漁業、建設関係、食品製造関係、繊維・衣服関係、機械・金属関係など合計81職種145作業。ここに含まれる仕事であれば、企業は技能実習制度を利用することが可能です。

例えば機械・金属関係でみると、鋳造、鍛造、ダイカスト、機械加工、金属プレス加工、鉄工、工場板金、めっき、アルミニウム陽極酸化処理、仕上げ、機械検査、機械保全、電子機器組み立て、電気機器組み立て、プリント配線板製造の15職種29作業について、技能実習生を受け入れることができます。これらの分野で設計の下流工程や製造現場での機械オペレーションなどに関する作業を技能実習生に与えることができれば、その分社員の負担は軽減できることが期待できるのでは、というわけです。

技能実習生の仲介は、営利を目的としない事業協同組合や商工会が監理団体となり、窓口を務めています。企業はそこにコンタクトして、実習生の受け入れを進めていく形となります。

技能実習制度は、厚生労働省が謳うとおり「先進国として開発途上国の人づくりに協力する」が大義名分ですが、政権の本音はいうまでもなく、「日本の人手不足を解消したい」です。実習生を受け入れる企業も、考えているのは「当社の製造技術の世界的な普及に貢献したい」ではなく、「とにかく手を動かせる人が欲しい」が、本当のところではないでしょうか。もちろん、うまくいけば結果的には技術で世界貢献ができることにはなりますが……。

ただ、本音丸出しで技能実習生をかき集めている企業が、実習生を酷使して問題視される報道も目立っており、企業としての社会的意義は忘れるべきではないでしょう。

そこは法的、倫理的に正しく制度を利用するとして、考えたいのは、もし「技術を学びたい」という技能実習生と出会えたならば、現場の負担は本当に解消するのだろうか、という問いです。

技能実習生は常に「よりよい職場」を探している

結論からいえば、それはかなり難しいのではないかと思います。

技能実習生は、受け入れる企業や仕事内容（厳密には実習内容）が限定された状態で入国するので、特殊な事情を除いて、本人の意思で転職・退職・実習場所を変更することはできません。

そんななかで外国人技能実習生の失踪が起こるのは、受け入れ企業の過酷な労働条件・環境であったり、より好待遇の職場を求めたりすることによります。

もちろん、期間を超えて国内に滞在し続ける不法在留や、実習以外の仕事をする資格外活動などは入管法違反となるのですが。

技能習得による母国への貢献（日本から見れば国際貢献）は彼らにとっても建前で、実際は単なる出稼ぎをしたいという理由が多くみられます。なかには仲介業者に大きな借金を負ってでも来日する場合もあります。

一方、日本の製造業のなかでも、安価な労働力を求めるニーズが強いのが実情です。最低賃金にも満たない給与であったり、時間外労働に対して残業代を支払わなかったりする法令違反を行ってでも、安価な労働力を酷使したい日本の企業が彼らの受け皿になっていることは、大きな問題です。

ただ、背景には、自分の贅沢のためではなく、家族の生活の助けになりたいという外国人労働者の切実な気持ちがあります（彼らは大抵、少ない給与からかなりの分を母国の家族に仕送りしています）。一方で、極めて安い下請け業務を行わなければ生きていけない日本国内の製造業の置かれた苦しい立場というものもあります。

しかし、いずれにせよ技能実習計画を厳正に実行し、労働基準法を遵守し、人権を尊重する、という当たり前のことが守られていないケースは多く、外国人技能実習機構（法務省・厚生労働省管轄）の職員が抜き打ちで検査に行くと、大手企業において法令違反が発覚して新聞沙汰になったりすることがあります。

外国人技能実習生の側は、技能実習ビザを使って他社に転職したりはできないし、就労ビザに変更もできません。

技能実習ビザによる製造関係の仕事の内容は、72ページで挙げた職種（作業）に限定されており、設計や開発系の仕事では使えません。あくまでワーカー、作業者としての仕事に限られます。

２０１９年４月以降新設された「特定技能ビザ」を取得すると、同業種に限って転職はできますが、それでも業種は左記に限られます。

特定技能ビザ１号対象業務：⑴建設業 ⑵造船・舶用工業 ⑶自動車整備業 ⑷航空業 ⑸宿泊業 ⑹介護業 ⑺ビルクリーニング業 ⑻農業 ⑼漁業 ⑽飲食料品製造業 ⑾外食業 ⑿素形材産業 ⒀産業機械製造業 ⒁電気・電子情報関連産業

特定技能ビザ２号対象業務：⑴建設業 ⑵造船・舶用工業

つまり、設計・生産管理・ＩＴ技術者などの仕事を国内で行わせるならば、技能実習でもなく特定技能でもなく、（工業系・工学部など）大学卒業の技術者として在留資格「技術・

人文知識・国際業務ビザ」で招聘しなければならないのです。

就労ビザで日本に来ている技術者には、日本人並みもしくはそれ以上の給与待遇を用意する必要があります。となると、当然、製造現場でのマシンオペレーションや加工、組み立て・塗装・溶接・検査などの単純作業をさせることはできません。

就労ビザで雇用できないそれらの職種（作業的内容）を、技能実習ビザ・特定技能ビザの人材がカバーしている、というのが実態なのです。

技能実習ビザの人材には、許可されていない開発・設計系の仕事をさせることはできません。「研修なら問題ないのでは？」とも思えますが、技能実習の作業的な仕事の合間を縫って短時間の断続的な教育を施したところで、優秀な設計者が育つはずもありません。

正しいやり方は、就労ビザを持った外国人技術者を自社の正社員として雇うか、正社員として雇っている会社から派遣してもらうしかないのです。

「海外の人材を海外で用いる」という選択肢

ここまででいえることは一つ。要は「外国人を日本で用いるのは、意外と難しい」というシンプルな結論です。

派遣社員はマッチングが難しく、外国人同士で給与を比較できる環境下で定着させられるかどうかの課題がある。技能実習生は設計・開発業務では使えない。来日した外国人技術者を自社の現場で働かせようと思うと、どうしてもコストやマネジメントの面で難題が多く、踏み出しても「人手不足の問題は解決しつつある」という実感を得づらいのが実際のところなのだといえるでしょう。

そこで、次の方針として浮上してくるのが「海外の人材を海外にいるまま用いる」という考え方です。

その方法には大きく分けて、二つの選択肢があります。

①請負会社に仕事を出す
②オフショア開発の体制をつくる

例えばパソコンのマウスを作るメーカーは、その開発・製造段階において、パソコンメーカーとすり合わせをする必要はありません。USBのような共通のプラットフォームを介して組み合わせることができるモジュラー型のビジネス形態では、企業間の連携はほぼ必要なく、各々の会社は自社の製品に注力すればよいのです。

　このような共通のプラットフォーム（ときにそれはソフトウエア）を介して組合せが容易な技術分野では、起業やサードパーティの新規参入がしやすいというメリットがあり、北米のメーカー（IT企業も）はこの形態を得意とする。

　一方、もともと日本の製造業の強みは企業間連携（企業間のすり合わせ・打ち合わせ）にあります。製品のパフォーマンスはそれによって最大化されるといっても過言ではありません。

　例えば、自動車メーカーが自動車部品メーカーと細かい打ち合わせを行わないということはあり得ないし、自動車部品メーカーが請負会社と綿密なすり合わせを行わないこともあり得ない。

　自動車や工作機械などの分野において、関連する企業同士が高密度のコミュニケーションを行うことで、共通の理解、共通の課題などを共有し、結果としてのプロダクツである自動車や工作機械の能力や性能は最大化されることになるのです。

　日本では比較的こうしたインテグラル型のビジネス形態が強く、全体としての調和が取れ、最大のパフォーマンスを発揮する製品が生み出されやすいのと引き換えに、新規の請負会社が登場したときに、この「打ち合わせの輪」の中に新規参入するのが難しい。

したがって、企業（メーカー）が人材不足を理由に海外の請負会社を求める場合、この「輪の中」に取り込めるかどうかは非常に重要な関心事となります。

新しい請負会社はUSBのような共通のプラットフォームを通して、いつでも簡単に着脱可能、ほかの請負会社に交換できるといった類のものではありません。気軽な「お試し」も難しいのです。

アウトプットの品質を上げ、結果的に開発・製造する製品の性能をフルに発揮させるためには、協力会社を「綿密なすり合わせ」を行う輪の中に取り込み、簡単には切り離せないような関係性を取り結ぶ必要があります。ということは、その会社は日本語で十分なコミュニケーションができる会社でなければなりません。３０００円で買った海賊版のCADを使うような会社であってもなりません。

仕事を出す側の状況や内容をよく理解し、共通認識を持ち、できれば日本のものづくりに敬意を払って、綿密なすり合わせを行えるような会社が理想なのです。

それがこちらのことを理解しておらず、打ち合わせも最低限で、さまざまな国のさまざまな企業から依頼される最大公約数的な仕事しかできないような海外の請負会社であれば、極めて簡単な仕事の場合はともかく、重要なパートを委ねるような仕事では、決してうまくいくわけがないのです。

海外の請負業者は「育てる」のが難しい

国内の請負業者であれば、日本語で密にやり取りが可能ですし、必要ならば、対面での打ち合わせもできます。日本の製造業の流儀もよく心得ているでしょうから、品質へのこだわりも理解してもらいやすいはずです。

しかし、海外の請負業者となると、発注したら、あとは先方の現場でどのように作業しているのかは、ほとんどブラックボックスです。何度説明しても思ったものができ上がってこない、となったら、諦めて引き取らざるを得ないこともあります。

結局、コミュニケーションで生じるストレスを軽減するためには、どうしても簡単な仕事しか依頼できない、ということになってしまうのです。

しかし本来、設計の上流工程を担当する社員が解放されたいと思っているのは、設計でも製造現場との頻繁な調整が必要な部分である場合も少なくありません。

例えば、とある部品の詳細設計を部下に任せた場合、その部下は設計図を作ったら（上司の指示で）、それを製造部門の担当者にも送り、意見を仰ぎます。そこでフィードバックを受け、さらに部品の実際の噛み合わせや工作機械の能力などを計算に入れながら詳細設計図に調整をかける。修正した設計図を再び製造部門の担当者に送り、改めてフィードバックを受ける。まだ要調整の部分があれば、また設計図を直して……といった仕事を繰り返すわけです。

このように製造部門と歩調を合わせながら設計をする必要のある業務は、担当者が物理的に設計部門と製造部門を行き来する必要があるため、請負業者に任せる仕事には向いていません。仮に請負業者を用いてこれをやろうとするなら、製造部門との擦り合わせは上司に当たる人が代行するとしても、それ以外の部分で外注先とかなり頻繁なコミュニケーションが必要となります。海外業者を使う場合、言葉の問題でニュアンスが伝わりづらく、調整がうまくいかないということも十分起こりえます。すると、コストを抑えたつもりがかえって時間のムダが生じてしまった、という事態にもなりかねません。

もちろん、実力のある国内請負業者を用いることができればよいのですが、それが難しいことは先に述べたとおりです。

そこで顧客側は、海外に仕事を切り出して委託することを考えた場合、次のような基準の中から次の一手を検討せざるをえないことになります。

・近い国内の業者を利用する／遠くの海外業者を利用する
・実力の高い業者を選ぶ／ごく基礎的なレベルで妥協する

「近くて実力が高い」、つまり優れた国内業者を利用できればベストですが、それは難しく、コストも要します。

「遠くて実力が高い」業者があればいいのですが、日本の製造業は中小製造業に至るまで、世界でもトップクラス。手放しで安心して任せられる請負業者など、海外では簡単には見つからないでしょう。

近くて実力に乏しい業者は、発注する意味がありません。

すると、最終的には「遠くて基礎的なレベルの力を持った業者」とどう向き合うのか、ということになっていきます。エンジニアに基本的なスキルはあるが、日本側が満足できるレベルで仕事をあげてもらうには、どうしても細かいフィードバックが必要になる。そういうタイプの海外の請負業者です。

しかし、業務委託の関係にありながら、その中のエンジニアを育てるというのは、大変な仕事です。実際には、エンジニアとコンタクトするのではなく、窓口の担当者とのやり取りになりますから、「請負業者を育てる」という感覚になるでしょう。

現場のエンジニアにこちらの指示がどのように伝わったのか分からないし、前の仕事と今回の仕事で同じエンジニアが担当しているのかも見えません。

先ほど例にしたような2D設計図から3D設計図へのモデリング作業は、代行してもらえれば確かにありがたいですが、本当はもっと「考える仕事」を分担して欲しい。しかし、それには「指導」という形でエンジニア本人と関わる必要がある……。

海外の請負業者を活用しようと思うと、このようなジレンマが生じ、どうにも任せられる仕事が広がっていきません。「細かいリクエストを伝えて随時それを反映してもらう」といった頻繁なやり取りをエンジニアと行うことができないため、コミュニケーションのストレスがずっと軽減していかないのです。

オフショア開発という選択

社内の中堅エンジニアにのしかかる下流工程の負担を一気に取り払うベストな、魔法のような解決策はもはや諦めざるをえないといえるでしょう。

そんななか、「よりベターな解を」と考えた場合、検討に大きく値するのが本書のテーマでもある「オフショア開発」という②の選択肢の体制になるわけです。

オフショア開発とは、簡単にいえば海外現地に開発ルームを増設し、そこに固定常駐のエンジニアを数名配する開発業務の体制のこと。エンジニアは現地で調達された外国人で、毎日その開発ルームに通勤し、仕事をします。

オフショア開発を利用する日本の会社とその開発ルームは常時メール、通話、画面を通した対面、といった方法での指示や打ち合わせが可能です。ファイルサーバーを介してデータのやり取りもできるし、専用のアプリケーションを用いることで、日本側のパソコンで開いた画面を開発ルームのパソコンにも表示させ、その画面を動かしながら具体的に指示をする、といったやり取りも可能です。

オフショア開発のイメージ図

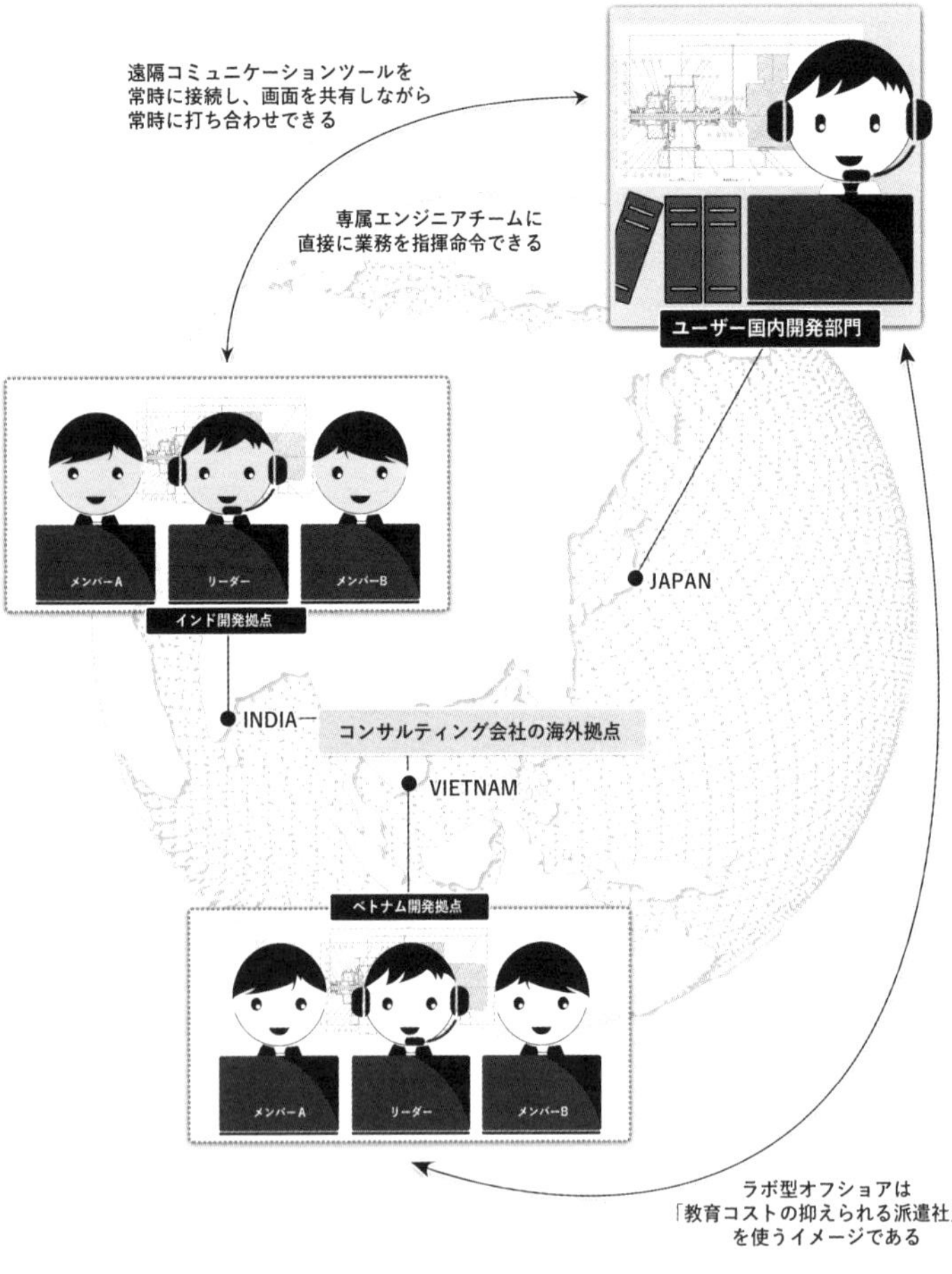
遠隔コミュニケーションツールを
常時に接続し、画面を共有しながら
常時に打ち合わせできる
専属エンジニアチームに
直接に業務を指揮命令できる
ユーザー国内開発部門
JAPAN
メンバーA
リーダー
メンバーB
インド開発拠点
INDIA
コンサルティング会社の海外拠点
VIETNAM
ベトナム開発拠点
メンバーA
リーダー
メンバーB
ラボ型オフショアは
「教育コストの抑えられる派遣社員」
を使うイメージである

つまり日本の設計担当側からすれば、自社の開発室が海外に増えた、という感覚で作業環境を拡張することが可能なのです。

日本の製造業者が自力で海外に開発拠点を設けようと思ったら、これはかなりの投資が必要です。

各国の人材市場をリサーチし、進出に相応しい地域を特定。当局に対する申請を済ませ、オフィスを借りる。エンジニアの募集をかけ、選定を行い、労務管理をしながら、仕事を教えていく。その国ならではの価値観や労働観を学びながら、商慣習への理解も深めていく必要があるでしょう。モチベーションに気を配り、条件交渉をして、できるだけ辞めてしまわないように（教育がムダに終わってしまわないように）、従業員の満足度にも気をつけていなければなりません。

すでに海外に製造拠点を有する会社の場合は、その工場の一部分を設計室にしようと考えたものの、実際にやってみると上手くいかなかったという経験がある会社は多いはずです。東南アジアの激しいスコールのような雨の中、雨合羽のバイクで工場団地まで通勤するエンジニア人材がいかに少ないか、あるいは定着が悪いか、理解したころには手遅れです。〝現地でしか使うことのできないソフトウエア〟のライセンス料(数百万円か数千万円)をすでに支払ったあとで、仕方なく工場勤務のワーカー(もちろん高卒)に一から教えるということは途方もない話です。

つまりコストや労力を極力かけないようにしながら、独自に開発拠点を立ち上げるというのは相当難しいことなのです。しかし、こうした開発体制の構築を専門とするコンサルティング会社を利用すれば、企業は希望を伝えるだけですべてお膳立てしてもらえることになるのです。

もちろん、希望どおりのスキルをすべて備えたエンジニアを揃えるといったことは難しいでしょう。しかし、専門分野が十分重なるエンジニアであれば、密にコミュニケーションをとっていくことで、自分の会社の仕事をマスターしていってもらうことは、大いに可能です。

教育コストが安く、長く使える専属チーム

国内で調達されたエンジニア系派遣社員に仕事を教えていくのはコスト的に厳しいとい

う話をしましたが、オフショア開発体制ではこの点でかなり費用をリーズナブルに抑えることができます。

というのも、オフショア開発ルームに勤務するエンジニアたちは、現地の給与相場を基準にコンサルティング会社が雇用しているからです。つまり顧客側は、彼らの給与にかかる費用に関して日本の給与水準をベースにして考える必要はありません。コンサルティング会社側は、エンジニアとの交渉により複数年に渡る雇用を前提として労務契約を結びます。そのうえ、開発ルームへの勤務を約束するので、「せっかく教えたエンジニアが、1年で辞めてしまった」という事態にも十分な対策を取っておくことができます。

海外の請負業者の場合、「エンジニアの顔が見えない」という不安がありましたが、オフショア開発ではその点も解消されます。

日本側の開発室とオフショア開発ルームは、パソコン上のコミュニケーションツールで常時接続された状態にしておけますから、話したいときはすぐに呼び出して打ち合わせできます。もちろん、オフショア開発ルームの側で疑問点が生じれば、向こうからの問い合わせも随時受け付けることができます。請負業者への委託では、「指示に不明点がありましたが、とりあえずやってみました。何かあれば、修正の指示をください」という形で納品を受けることもありますが、急ぎの場合こうしたやり方は時間のロスにもなりかねません。

請負業者とのやり取りでは、「コミュニケーションの機会をなるべく減らす」イコール効率のよい仕事、と受注側も発注側も捉えてしまいがちなせいですが、それは時と場合によるでしょう。特に長期にわたって一緒に仕事をすることを前提に考えるなら、最初はコミュニケーションを密にとっておいたほうがあとが楽です。一つずつ疑問を解消しながら進めていくなかでお互いについて知り合うこととなり、暗黙知が形成されていくほうが、最終的には効率的な作業態勢が構築されるからです。

まとめると、オフショア開発の本質的なメリットは、「教育コストを抑えながら（他社の仕事をしない）専属チームを使える」ということにあり、しかもその専属チームは、「該当する技術の経験者」によって構成されているのです。

仕事を常にウォッチできる安心感

さらに、運用コストと仕事の品質においても、国内派遣業者に比べてメリットがあります。

派遣業者と請負業者の性質のおさらいになりますが、外部のエンジニアを利用する場合、「指揮できる／指揮できない」「納期・品質に責任を持つ／責任を持たない」という二つの軸の組み合わせで、委託先を選ぶことになります。

まず、「指揮できる&納期・品質に責任を持つ」という業者は、基本的に存在しません。これはもはや子会社のような立ち位置です。あるいは、正規雇用の社員に求めるレベルの内容でしょう。

請負業者は、「指揮できない&納期・品質に責任を持つ」の立場になります。

ただ、納期・品質で絶対安心なレベルを求めるなら、あまり冒険はできません。依頼する側としては、より大変な仕事を切り出せたほうが助かるはずですが、そのリスクをあえてとることは、滅多にないといえるでしょう。失敗した際、費用がムダになるだけでなく、事態の収拾にも大変な手間がかかる可能性もあるからです。

「指揮できる&納期・品質に責任を持たない」には、派遣社員が含まれます。派遣社員は、担当者の指示どおりに作業をしますし、その人のスキルによっては質の高い仕事をしてもらえることがありますが、「一式」という形で仕事を納めてくれるわけではないからです。

アウトソーシング業者の立場

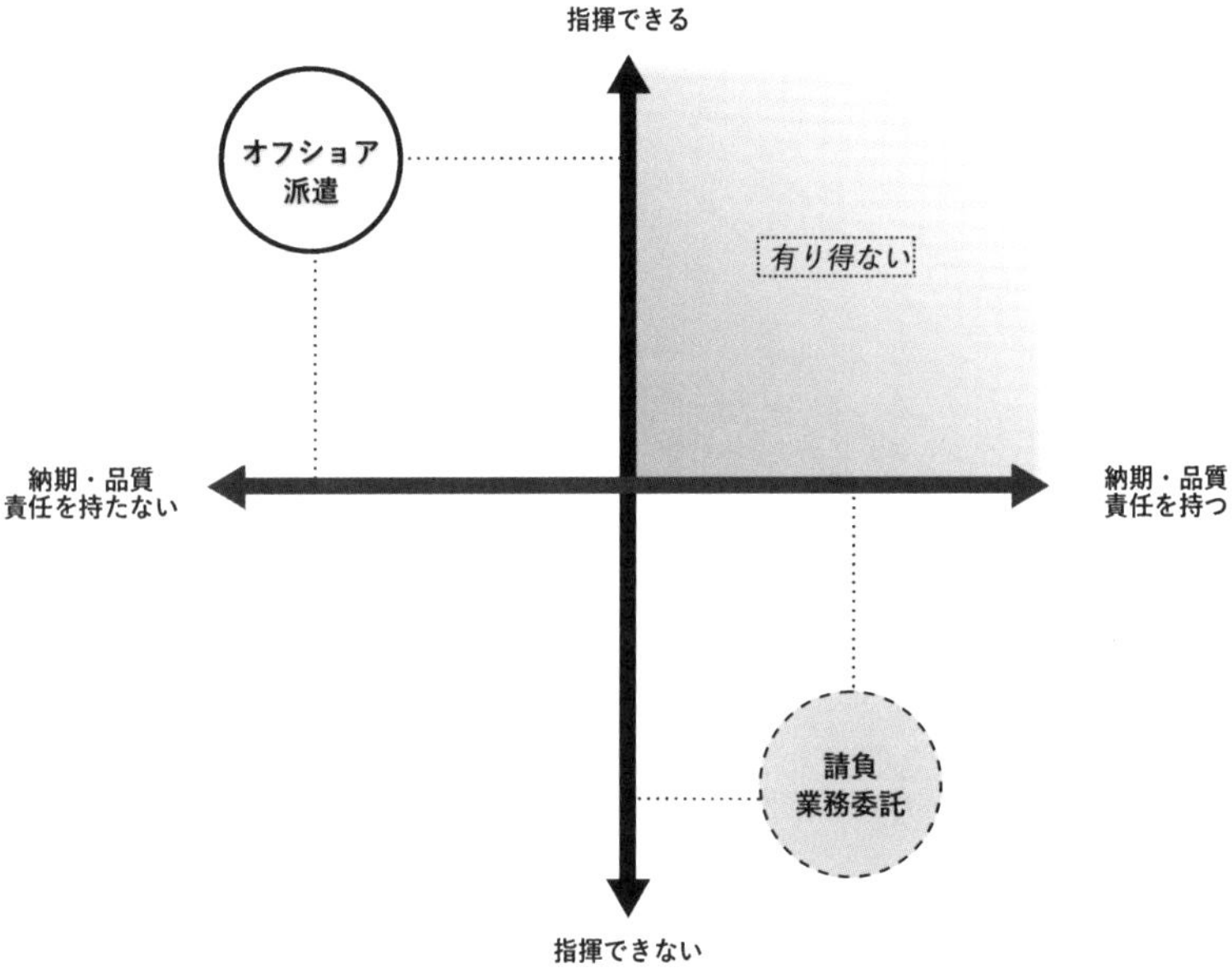

派遣社員のよいところは、毎日、仕事ぶりをウォッチできることにありますが、拘束された状況が生まれるせいで、どうしてもコストが高くなってしまうわけです。

オフショア開発もこの範疇に入りますが、派遣社員と比較するとコストの面で大きなメリットがあります。日本人の派遣社員はざっくり言うと、「一人月100万円」が通常の相場ですが、オフショア開発を活用すれば同じ費用で2～3人のエンジニアを常時用いることが可能です。

国内の現場に海外人材の派遣を受けた場合、彼らの流動性が高いことが不安要素になりますが、オフショア開発ではその心配もかなり抑えられます。つまり「もっと良い条件の職場が見つかったから」と、ふいっと来なくなってしまう不安が少ないのです。

というのも、オフショア開発ではコンサルティング会社のマネジメント力によって、かなり離職率を低く抑える条件づくりが可能だからです。ちなみに私の会社では、2019年で退職者は全体のうち2・6％でした。例えば「日本の給与水準では安いが、現地の水準としては高い」くらいの給与を設定することで、エンジニアの職場への満足度を高めることができます。その仕事環境は、「日本の企業の仕事がしたい」という希望を満たしながら、自分の国に住み続ける安心感を持たせるかたちにもなっています。仕事の話は御法度ですが、それ以外でほかのエンジニアたちとの交流の場もつくれますから孤独感もありません。お金や人間関係の面でかなりの満足度を導き出すことが可能なのです。

そのおかげで、オフショア開発体制では「同じエンジニアをずっと使い続ける」という製造業の経営者なら誰もが望んでいたに違いない状況をつくり出すことができるのです。

広がる人材の選択肢

オフショア開発の長所として教育コストや運用コストの面から述べましたが、なんといっても大きなメリットは、母集団となる人材市場が一気に広がることであるといえるでしょう。国内での広告媒体やハローワークからの応募者の中からは見つけることができない、人材紹介会社も派遣会社も提案できない、通常の採用では「見たこともない経歴書」の中から技術者を選ぶことが可能となるのです。

優秀な技術者が次々に応募して目移りして選びきれない、といった会社はごく限られています。しかし、そうでなくても、国内人材市場だけを見ていてはなかなか獲得できない経験・スキルを持ったエンジニアを企業が自ら選択し、採用（獲得）することができるのは、オフショア開発ならではの魅力です。

実際、「大手上場企業の開発部門にいた」「同業種のライバル会社で設計部にいた」といった経歴の持ち主を面接したり、採用できたり、といった例は、枚挙に暇がありません。日本の大手製造業で鍛えられてきた人材を自社で活用することも夢ではないのです。しかも、そんなエンジニアを先述した通りの低いコストかつ低い離職率で、長期に確保し続けることが可能なわけです。

外国人に指示を出したり仕事を的確に上げさせるのは、コミュニケーションが難しそうだと思う方もいるかもしれませんが、それは杞憂です。パソコンに向き合ってずっとデータやプログラムを作成するような開発系の仕事では、「何をすべきか」という共通の理解ができてしまえば、アウトプットされるものは、まさに「ほしかったもの」となります。コミュニケーションは、次第にパターン化されていきますから、意志の疎通ができずに途方に暮れるようなことは、まずありません。

事実、オフショア開発を導入した結果、国籍の違い、日本語能力、時差や距離の問題は大した問題ではなかったことがわかったという声は、私の会社の顧客企業からもよく聞かれます。

グローバルなテレワークの波が迫っている

一般論として、リモート環境でチームワークを発揮し業績を上げるという働き方は、今後、ますます普及していく流れが生まれています。

政府の「働き方改革」の呼びかけによってか、5G通信などのテクノロジーの進歩によってか、あるいは新型コロナウイルスの世界的流行のような災厄によってか、とにかく働く人々が空間的な制約を受けず、どこにいても働くことができるという社会は、やがて当たり前になっていくのではないでしょうか。

過去を振り返れば、電子メールの普及により、電話によって相手の時間を拘束する機会が大幅に減りました。業務連絡のかなりの部分がメールに代替されることによって実現した効率化の恩恵は、ビジネスパーソンならば誰もが受けているところです。

同じように、相手の働く場所（空間）を拘束しないことにより、新たな効率化が実現することは、大いに考えられます。移動にかかる時間、費用、エネルギーが節約されることで生まれる事業への経済効果は、また未知数ではありますが、その値はプラスになりこそすれ、マイナスになることはないでしょう。

人材不足に悩む製造業者は、誰でもよいから技術者がほしいわけではありません。求める人材には、「その仕事ができる人」であり、なおかつ「その金額で働いてくれる人」という条件が必ずつきまといます。さらに、これまでの常識では、「この会社に来られる人」、つまり特定の国の特定の地方の特定の企業に通勤できる人である必要がありました。しかし、これほどの条件が重なってしまえば、該当するスキル・経験を持った技術者の採用が相当に困難であることは当然といえば当然です。

では、仕事内容、金額、場所についての条件を変え、「(その金額で)その仕事のできる人」に「その人がいる場所」で働いてもらうという発想にしたらどうでしょうか。

私の会社で実践したオフショア開発のヴァリエーションの一つに、たった一人のエンジニア(その仕事ができる人)のためにわざわざベトナムのダナンにプライベート・オフィスを設け、神奈川ーホーチミンーダナンという3拠点間での展開を(現在進行形で)行っている例があります。

求める人材を逃さないために、エンジニアが空間的な拘束を受けない働き方を実現する。

そういう形で業績を上げる方法をいち早く学び始めた企業が登場しているのです。

AIの進歩によって、コミュニケーションにおける言葉の壁も、どんどん取り払われつつあります。機械翻訳といえば、かつてはひどいものでしたが、近年、一気に急速な発展を遂げ、翻訳ソフトの性能は飛躍的に向上しました。母国語が異なる人と働くことのハードルは、距離のみならず、言語においても、ますます低くなりつつあるのです。

そこで、これまで誰もが当然だと考えてきた仕事に関する前提は、次のようにシフトすることになります。

・同じときに同じ場所にいて同じ言葉を話す人でないと仕事ができない。

←

・同じときに別の場所にいて別の言語を話す人であっても仕事ができる。

すると、「その金額でその仕事ができる人」と出会う確率は、格段に高くなります。「同じ場所に集まって働くのではない」ことによる管理をいかにするかという新しい課題は生まれるものの、住所にこだわらず優秀な技術者をできるだけ低いコストで運用できるメリットは測り知れません。

ＷＨＯが新型コロナウイルス世界的流行を認めるなか、急に推奨され出したテレワークによって、私たちは離れて働く練習の機会を得ることとなりました。初めは戸惑いもあったでしょうが、慣れてみると「意外とうまくいくものだ」と実感した人は、かなり多かったと思います。このように離れて働くのが当たり前な社会はやがて国境を越えて、よりいっそうグローバルな展開になっていくでしょう。

変化の波は一気に押し寄せるに違いありません。そんななかで、これまでと違うやり方に柔軟に適応できるかどうか。私たちが今立っている場所は、企業のこれからの成長を左右する、極めて重要な分岐点だといえます。

と、こうした現状からも、遠隔地の人材を上手に活用する術を磨いておくことは、特に製造業者にとっては生き残りと成長にために重要な鍵になり得るのでは、と思われます。

もちろん、オフショア開発体制を導入すれば人材不足の悩みのすべてが解消される、というわけではありません。どんな手段であろうと、完璧な解決をもたらすことは不可能ですから、これは当然のことといえるでしょう。

しかしオフショア開発の強みや活用のコツ、必要な準備と対応をよく知っておけば、人材不足と現場の疲弊はかなりの部分で軽減されることは間違いありません。

以上で、「オフショア開発」という選択肢のイメージはある程度理解してもらえたでしょうか。当然、かえって生まれた不安や疑問もたくさんあることでしょう。

コラム　オフショア開発・ベトナムのホンネ　2

ベトナムのオフショア開発ルームで働くベトナム人エンジニアの声をご紹介します。

▼提案してチェックを受ける仕事はやりがいがある

（自動車部品メーカー・リーダー・男性）

「自動車部品の開発の仕事に関わっています。日本のメーカーのお客さんからのリクエストを聞いて、アイデアを考え設計ソフトのCADで3Dモデリングを行います。設計したモデルを解析するためにメッシュ切りをして、解析要件を設定。シミュレーションを行い、結果が出たら、変位量などを評価してCADデータを修正します。日本とは1日2回ほどメールかWebミーティングを行い、検討結果が良くなるように、相談しながら仕事を進めます。

私は自動車関係の大学で機械設計を勉強したので、業務内容が合っていると思い、この仕事に応募しました。給料もいいです。日本の会社と直接話して仕事ができるし、日本に毎年行き勉強することができるのも、うれしいです。

日本語だけでなく、日本の文化、会社のやり方、考え方、専門の設計業務や解析業務の知識、そして日本の高い技術を学ぶことができます。日本で工場見学をした際は、自分が設計した部品の作り方が見えるのが楽しかったです。

日本側のエンジニアと相談し、自分のアイデアを提案することもあります。協力して仕事ができるのは、とても楽しいです。設計と解析を任せてもらえているので、部品設計のプロセスを全体的にみることができ、やりがいがあります。

時々指示が不十分でお互いの認識がずれており、難しいと感じることもあります。そのようなときは質問して相談することもありますが、できるだけベトナム側で相談し一度自分たちでやってみる。それが正しいか確認してもらい解決につなげていくようにしています。ただ、新しい業務で新しいソフトウエアを使うときは、自分たちで考えて進めるのも不安なので、できるだけ日本側と連絡を取り合うようにしています。日本側の管理の人は若くて、テレビ会議でもすぐつかまるので安心です。いつも笑っていて、説明も上手で分かりやすくて、いい関係だと思います。

将来は、プロとして技術をもっと高めて、業務管理やマネジメントの仕事もできるようになりたいです。キャリアパスとして、良いところで仕事をすることができていると思います」

▼担当できる業務範囲をもっと拡げるという目標をチームで共有

（包装機械設計・リーダー・男性）

「とにかく現在のメンバーで長くこの仕事を続けること、今は図面処理の仕事が多いけれど、ベトナムチームの力で機械設計までできるようになることを、チームの目標にしています。5、6年以内に達成できればと思っていますが、みんなやる気ですから、教えてもらえるなら、もっと早く達成できるでしょうね。

私は遠い目標として、いつか自分で会社を作りたいと思っています。そのために今はお金を稼ぎながら、知識、経験、アイデアを磨きたい。経営者として成功している人は、エンジニアよりも営業の力がある人だと思います。ITのスキルとともに、コミュニケーション力を高めて、人を動かす力も向上させていきたいです。

休日は家族と過ごすことが多いです。妻と食事をし、掃除をして、映画を観たりコーヒーを飲みに出かけます。年に2、3回は国内や海外に旅行もします。最近ではシンガポールや日本の大阪、東京に行きました」

人数に対するコスト、セキュリティ、働き方の違い……

オフショア開発導入前に知っておくべき運営の基本

第3章

オフショア開発の拠点はどこがベストか

オフショア開発の体制を構築するとは、簡単にいえば、海外に専用の開発ルームを設け、そこにエンジニアを常駐させることであると述べました。

自社の開発室と海外の開発ルームは常時専用のコミュニケーションツールで接続されており、お互いにいつでも呼び出しが可能で、ファイルのやり取りや画面の共有も容易にでき、遠隔操作になるもののエンジニアは常に管理下にあります。「顔が見える」という安心感のもと、さまざまな指示を下しながら作業を任せていくことができます。

要するに、日本のエンジニアの手足が増えたような状態を生み出すことが可能になるわけです。海外の開発ルームに入るエンジニアたちは、毎朝現地時間の定時に出勤してパソコンの前に座ります。彼らは日本の開発室が擁する「専用チーム」です。

専門分野の素養や経験はあるものの、日本側で扱う製品や技術についての具体的な知識には欠けている状態ですが、製品のみならず取引の要求、設計ルールなどを理解しながら技術スキルを向上、ノウハウを蓄積させていくことで徐々に自分たちに合ったチームに育ていくことは可能です。

お互いに「あうん」の呼吸が生まれてくるようになれば、業務指示もどんどん簡素化させていけるはずです。ほとんど「海外で働く部下」が増えたような感覚で下流工程の仕事を手放していくことができるのです。

もろもろの手配は信頼できる専門のコンサルティング会社に委ねることができれば、顧客側は「こういう経験のあるエンジニア○人のチームで、オフショア開発の体制を作りたい」とリクエストをするだけですべては動き出していきます。

そこで、このようなオフショア開発の魅力を存分に活用したいと思ったときに最初に浮かぶ疑問は「拠点をどの国に設置するべきか？」です。

かつて、製造業が海外に拠点を設けるといえば中国が定番でした。しかし近年は中国も人件費が高くなりつつあり、こうした際にコストメリットを活かしづらくなっています。政治・経済・雇用・セキュリティ・知財・商慣習などの面で独特のカントリーリスクもあるため、設計にまつわる情報処理を行うとなると躊躇を覚える人もいるでしょう。

オフショア開発を利用する意味は、大きく次の二つになると思います。

・技術者不足の解消
・人員増に対するコスト抑制

さらに、開発ルームのメンバーとして育てたエンジニアを日本に招聘したり、正規雇用する形で取り込むことができれば、

・蓄積した技術の吸収

という第三のメリットも享受できるでしょう。

このような効果に優れた外国として、私はベトナムをおすすめします。

ベトナムは人口約９４００万人を擁し、ＧＤＰ（国内総生産）は近年6~７％台で推移している東南アジアで注目の開発途上国です。投資家たちの間では、インドネシア、フィリピンと併せて「ＶＩＰ」と括って成長株への投資が盛んに行われています。

なかでも、ベトナムは国策として工業面からの経済発展に積極的に取り組んでおり、高等教育で工学部を卒業し、日系の現地メーカーで仕事をした経験を持つエンジニアが人材

市場に多数存在しています。ベトナムの都市部（ホーチミンやハノイ）で募集をかければ、たくさんのエンジニアからの応募を得ることはそう難しいことではありません。

そのうえ、ベトナムのエンジニアの賃金相場は中国の約半分程度ですから、コストの抑制効果も大きく期待できます。

製造業でベトナム人の評判がよいことは、今さら指摘するまでもないくらい有名な話です。というのも、大手自動車メーカーが１９９０年代から進出して生産拠点を設けていたこともあり、ベトナム社会ではビジネス面でも親日の気質があるからです。仕事に対しては、まじめで熱心な人が多く、日本人なら共感できる部分が広いと思います。もちろん、ベトナム独特の職業観や人生観を理解する必要はありますが、総じていえば一緒に働きやすい人たちが多い国といってよいと思います。

ベトナム人の意識の変化も日本の価値観に沿っています。転職するときにはきちんとしたCV（Carriculum Vitae＝resume、履歴書・職務経歴書に該当）を作成した方が良いという認識は、ベトナム国内にある日本企業の影響です。CVの中には日本でおなじみの〝KAIZEN〟や〝HO-REN-SU〟、〝5S〟などが見られます。驚いたことに、〝POKA YOKE〟という言葉さえ見つかります。

オフショア開発体制の概念図

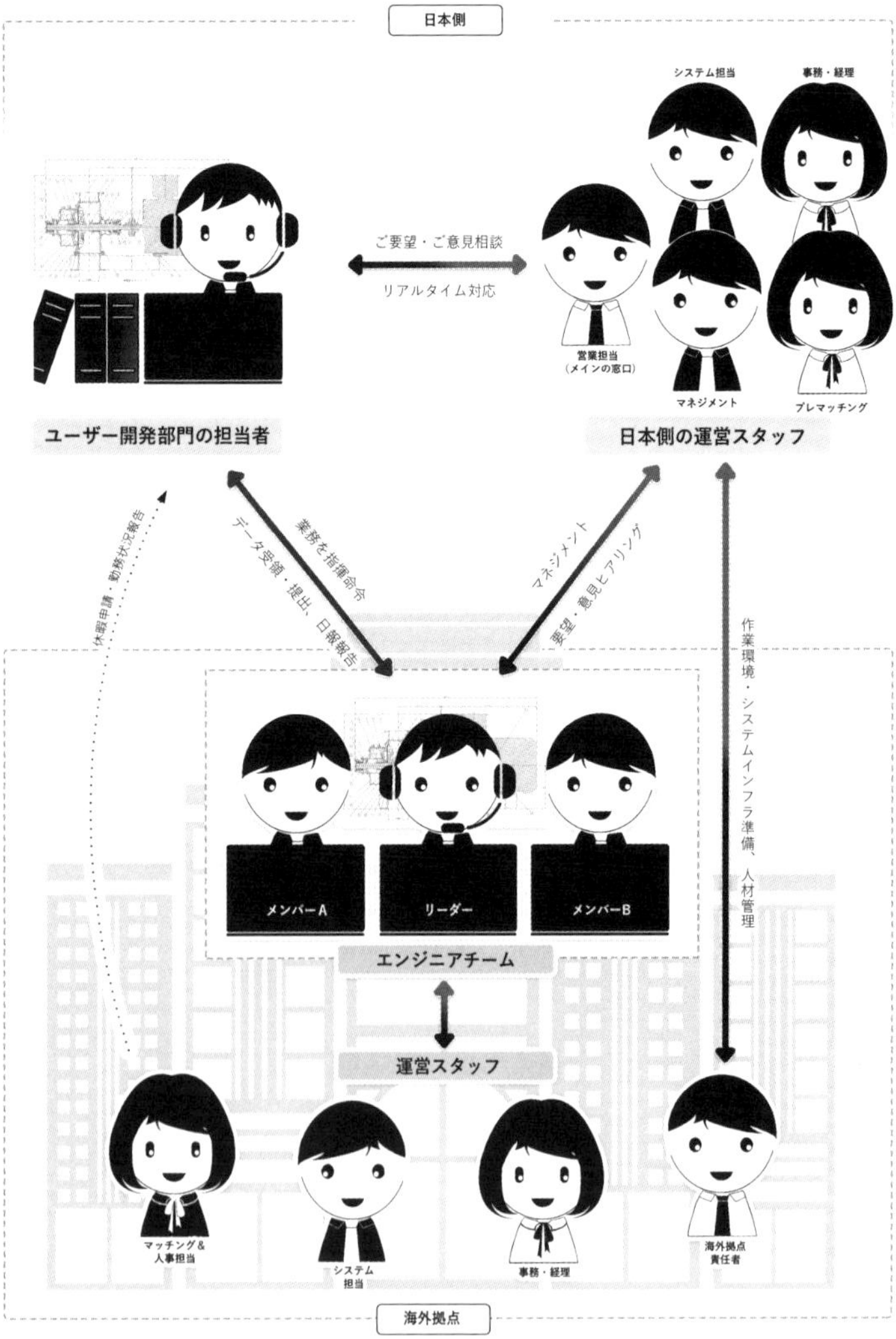

面接に参加するかどうかを尋ねると、かつては「給料いくらか?」しか質問がなかったところが、最近では、「その仕事は面白いですか?」「やりがいはありますか?」「技術者として成長できますか?」と、日本人のようなことを言うようになりました。

さらに、ベトナムと日本はマイナス2時間の時差（日本が9時＝ベトナムは7時）がありますが、この「2時間」という時差が意外と丁度よい、という事情もあります。

オフショア開発で検討し得るそのほかの選択肢としては、インドまたはタイなどの東南アジア各国がありますが、時差が大き過ぎると日本のエンジニアも海外のエンジニアも同時に働いている時間が短くなってしまいます。すると、随時コミュニケーションをとり合うチャンスが減ってしまうので、コミュニケーションのストレスが生じやすくなってしまうのです。

オフショア開発にかかるコストは?

「どこで?」の疑問が解消されたら、次は当然「いくら?」という話になるでしょう。

ここでは、ベトナムにオフショア開発の拠点を設けた場合のコスト例をご紹介したいと思います。

お伝えしたように、体制構築には通常コンサルティング会社を利用することになりますが、オフショア開発ルームを設置するコストの内訳は、大きく次の三つの柱に分けられます。

①作業環境：システムおよびインフラ設置・維持費用
②場所：事務所および運営管理費
③人：エンジニア人件費

①の「作業環境：システムおよびインフラ設置・維持費用」とは、仕事に必要な設備を揃え、維持するためのコストです。開発ルームは空っぽの状態ですから、そこにエンジニアたちが仕事をするうえで必要なオフィス家具やパソコンなどを運び込み、ソフトウエアをインストールしたりする必要があります。
つまり、次のような内容です。

・業務用ソフトウエア

・Workstation／Server／他周辺機器（UPS等）
・複合機・シュレッダー
・Router／開発ルーム内ネットワーク
・打ち合わせ用（コミュニケーション）ツール
・ファイル転送クラウド
・インターネット環境（VPN含む）
・セキュリティ関連ソフトウエア・設備
・机・椅子・エアコン・照明・冷蔵庫……

この中でもっとも高価なものは、業務用ソフトウエアです。

Microsoft Office はともかく、CAD／CAM／CAEのソフトウエアは高額です。日本側と同じ種類のソフトウエアを使う必要があり、モジュール構成やバージョン、アドオンのチューニングなどもすべて合わせなければならないため、導入にはある程度の段取りも必要です。

例えば、Illustrator と Photoshop では同じ仕事ができないのは当然ですが、新しい

Wordで作成した文書ファイルが古いバージョンのWordファイルでは開かないというのもよくあります。開いたとしても、重要な内容が欠落したり、間違って表示されてしまうこともあります。これでは仕事になりません。同様に、開発用ソフトウエアは、日本と開発ルームとで、まったく同じ環境を構築する必要があるのです。

環境をできるだけそろえるということはかように大事なことなのですが、この環境（であるところのソフトウエア）を日本から「持ち込む」ことができません。日本で購入したライセンスは通常日本でしか使うことが出来ず、ベトナムで購入したライセンスはベトナムでしか使うことが出来ません。ソフトウエアはＭＡＣアドレスに紐づいていたり、ＩＰアドレスを確認したりするので、いつも起動しているＰＣではなかったり、同じＰＣでも設置場所が異なることが分かれば、ライセンス違反となり、重大なペナルティの対象となり得ます。

開発用ソフトウエアを使用するためには、通常ＰＬＣとＡＬＣを支払う必要があります（前述のようにSUBSCRIPTIONも最近は広がりました）。ＰＬＣは、購入した際、最初に一度支払えばよい金額。ＡＬＣは、そのソフトウエアを使い続けるために、毎年（１年ごと）に支払うべき金額です。

あるソフトウエアのＰＬＣが５００万円、ＡＬＣが１００万円とした場合、「日本でライセンス購入したソフトウエアをベトナムに持ち込んで利用するだけなのだから、毎年ＡＬＣの１００万円のみ払えばいいのでは？」と思うかもしれませんが、そうはいきません。日本で購入したライセンスを海外で使用することはできないのです。したがって、同じソフトウエアでもベトナムで使うなら、新しくＰＬＣの５００万円を支払い、新たに買い直さなければなりません。

このソフトウエアをオフショア人材の３名が使うなら、ソフトウエアも３台分必要です。つまり、ＰＬＣとして１５００万円を支払い、それとは別にＡＬＣを毎年３００万円支払う必要があるのです。

②の「場所：事務所および運営管理費」は、いわゆる家賃です。

通常、開発ルームはオフィスビルの中に個室が並ぶ形で設置されています。それぞれは鍵のかかる構造になっており、エンジニアたちは毎日決められた顧客の部屋に出勤します。この部屋を通年で確保しておくための費用が「事務所費」になります。

管理費は、コンサルティング会社が開発ルーム棟に事務スペースを設け、そこにスタッフを常駐させて建物を管理、運営する費用です。

ついその金額の多寡にのみ目が行きがちですが、遠隔地のオフィス内の人やシステムのメンテナンスが十分に行えることは、案外重要な要素です。

Windowsがバージョンアップされた、CADソフトウエアの更新がうまくできない、マウスが動かなくなった、モニタのブルーライトで目が疲れる、プリンターのトナーがない、UPSのランプが点滅しているが大丈夫か……。日々浮上するさまざまなシステムなどの問題をタイムリーに解決することができなければ、業務がすぐに滞ってしまいます。

また、エンジニア側からは、苦情や要望の声も上がります。日本に質問したいことがあるが連絡が取れない、もっと分かりやすい図面を描くように言われるが、どうすれば分かりやすくなるのか教えてくれない、開発ルーム内に冷蔵庫を置いてほしい、エアコンを2台にしてほしい、サーバーの冷却ファンがうるさくて集中できない……。

こうした声にもいち早く対応することは、彼らのモチベーションの維持向上に重要です。

さらに、労務管理についても、目を光らせて適切に対応する必要があります。例えば、今月の社会保険はいくら引かれるのか？　有給休暇あと何日残っている？　今現在で残業代はいくら？　妹の結婚式で休む場合は有給になる？　などなど。後日の回答でもよいものもあれば、体調不良で休む、通勤中にバイクのタイヤがパンクして遅れるといった、即座に指示対応が必要な事態もあります。

こう考えると、コンサルティング会社が求める「管理費」は、単に安ければよいというものでもないことは、おわかりいただけることと思います。

③の「人：エンジニア人件費」はエンジニアの人数に応じて変化しますが、仮に三人のベトナム人エンジニアを確保したとしましょう。日本語ができて経験も豊富な人物をリーダーにし、残りの二人はリーダーの指示に従って動くようにする、といった体制にすると日本からの指示を効率的に伝えることが可能です。

この場合リーダーとメンバーで賃金には差をつける必要があります。それでも第２章で触れたように、三人併せて、国内の派遣エンジニア一人分の費用（ひと月あたり）をイメージしておけば十分でしょう。

以上がオフショア開発ルームの設置・運営にかかる費用内訳のイメージです。顧客によって大きな幅が出るのは、業務用アプリケーションのライセンス料になります。それ以外は、顧客の業種や仕事内容によって変動する余地はあまりないように思います。

気になるのは「結局、いくらなの？」かと思いますが、非常にざっくりと申せば、エンジニア三人を擁する開発ルームをベトナムに持つとしたら、月額で１２０万～２００万円程度です。２Ｄソフトのみを使って図面を描く仕事だけをやらせるのか、きわめて高価な解析ソルバーを超ハイスペックＰＣで高速計算させるのかによって、金額はさまざまです。

オフショア開発の月額は高いか、安いか

オフショア開発では、同じエンジニアを長年使い続けることでこなれてきて、より効果的に活用していくことが可能です。その意味では、オフショア開発は3カ月、半年といった短い期間だけ利用する、といった考え方はするべきではないでしょう。

そういうイメージだと、今言った金額は「高い」という印象になってしまうと思います。

エンジニアたちは、現地でコンサルティング会社と雇用関係を結んでいるため、顧客側が「短く使って撤退する」という場合、募集に応じたエンジニアをその後、仕事もなく遊

ばせることになってしまいます。こうなると、契約上も制度上も、困ったことになりますから、オフショア開発に乗り出す際は、（実際の契約は1年だったとしても）3年や5年など長期で使い続けるくらいの気持ちで検討する方が良いと思います。人数は1名からでもできますが、それは業務量との相談です。1年契約の1名というのが最小単位で、したがって支払金額が最も少ないのですが、小さくスタートして様子を見つつ、あとから長期の契約で更新したり、人数を増やしたりするという方法もあります。

エンジニアたちは経験者とはいえ、顧客の仕事は初めてです。彼らが仕事を覚えた2年目、3年目になってようやくオフショア開発の真価は見えてきます。

当然、開発ルームのパフォーマンスが向上しますから「この月額なら安い」ということになっていくのです。

実際、導入を検討している経営者や部門長の方たちからは、「月額は安いが、ずっと払い続けるのは難しい。数年単位での利用が前提になっていると、判断を下しにくい」という声をよく聞きます。

オフショア開発が人材派遣などと異なるのは、文字どおりの意味で「開発拠点を海外に増やすことである」という点です。自社で開発拠点を増設するよりは、はるかに低コストではあるものの、やはりある程度大きな決断が必要であることには変わりません。「試しに使ってみる」が難しい選択肢であることは間違いないのです。

ただ一方で、オフショア開発に踏み切ったことで大きな恩恵を感じている企業が多いことも事実です。実際「導入したら意外とよかった」いう声も多く聞かれます。

オフショア開発を10年以上利用している大手メーカーもありますが、こうなるともうオフショア開発ルームなしでは仕事が成り立たなくなっているはずです。もし引き上げて開発ルームに任せていた仕事を別の方法でこなそうとしたら、それもまた膨大な手間とコスト（固定費）が発生するに違いありません。オフショア開発は、使いこなせばこなすほど、その金額以上のメリットを受け取ることができるのです。

例えば、開発ルームのエンジニアたちに市場開拓、取引先開拓の役割も与え、現地の部品メーカーとのやり取りを任せるといった大胆な起用をしているメーカーもあります。「もっと責任のある仕事がしたい」「マネジメントを覚えたい」といった意欲があるエンジニアも多く、信頼関係が構築できれば、開発ルームを飛び出して市場を掘り起こす先兵としても動かすことが可能なのです。

「毎月この金額がかかると1年では……」というように、トータルコストの大きさがどうしてもチラついてしまうのは経営側としては当然の心理でしょう。しかし、単なる作業委託ではないため、使いようによっては、2倍、3倍…10倍と、その効果を高めていくことも可能なのです。

費用対効果はどのくらい期待できるのか

オフショア開発の月額費用が高くつくか安くつくかは、結局のところ、導入した企業の運用次第である、というほかはありません。オフショア開発に秘められた可能性を十分引き出し活用し、日本とベトナムで作業分担がスムーズに行われるようになると、開発コストも残業時間も大幅に削減することは確かに十分可能です。

私が導入を支援した金型の設計・モデリングを行う企業では、1カ月の開発コストは56%、同じく残業時間は55%の削減に成功しました。

中堅エンジニアが、人手不足のせいで自ら残業してでもやらざるを得ない下流工程の業務から解放され、オフショア開発チームがそれを担当することになったおかげです。

オフショア導入効果の実例

真空成型金型設計・モデリングのオフショアユーザー
（2016年6月1日～）

1. 開発コスト:

2. 残業時間:

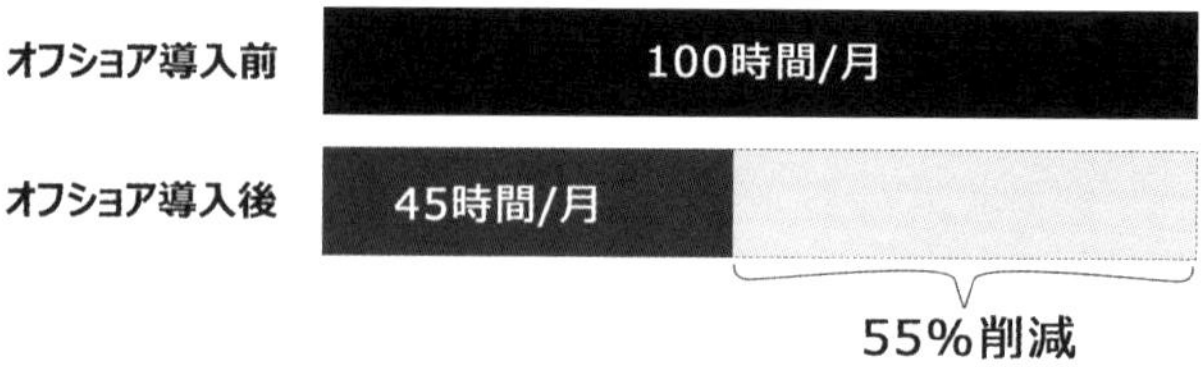

もちろんその結果として、会社全体の受注能力の向上も期待して構いません。

エンジニアが足りていない製造業者では、顧客からの新しい案件に対して「下流工程の作業をこなす手が足りないので受注できない」という対応にならざるを得ない場合がままあります。上流の設計業務が完了したあとで、下流工程の作業も同じエンジニアが行うしかないため、設計開発部門でスムーズなアウトプットができないのです。その結果、製造部門に仕事が流れていかず、工作機械が遊んでいるという状況が生まれてしまいます。

製造能力はあるのに、設計能力が間に合っていないせいで、工場の稼働率が低くなる。これは設備投資に対して大きな機会損失といえるでしょう。創造性の面で能力が足りず失注するというのであれば、諦めもつくのではないかと思うのですが……。

このような状況の打開策として、オフショア開発体制の導入は非常に有効な手段になりえます。

参考までに、私の会社がオフショア開発導入を支援した主な事業分野をここに挙げておきます。これらの分野に属する製造業者であれば、オフショア開発は十分検討に値する選択肢だといえるでしょう。

ＦＡ設備・機械・ロボット、自動車、プラント・配管、ボイラ・ポンプ、金型（樹脂・プレス・鋳物・真空成型・アルミダイカスト）、造船、建設機械、作業用特装車、試作、医療機器、航空機、治具、インテリア・シーケンサ、建設、ソフトウエア開発など。

特に、組図から部品図を作成する、ＰＤＦなどの紙図面をＣＡＤ化する（トレース）、３Ｄモデリングを行う、解析のためのメッシュ作成する……などの若手のエンジニアには技術を学ぶ良い機会でも、中堅以上のエンジニアには作業的な意味合いが強くなりがちな業務が大量にある場合、オフショア開発の導入は現場の負担軽減に大きく貢献し得ると思います。

導入までにどのくらいの期間が必要か

結論から言うと、オフショア開発の運用スタートまでには3カ月程度を見ておくのが現実的でしょう。

簡単に流れを説明すると、オフショア開発の導入を決めた顧客企業はコンサルティング会社に対して要望を伝えます。その内容は、基本的には作業環境とエンジニアの知識・経験がメインになるでしょう。

前者は業務に必要なソフトウエアと、それが快適に動く能力を持ったPC、通信やネットワークやセキュリティ環境に関しては、コンサルティング会社が丸ごと準備してくれます。

エンジニアに対する要望としては、コミュニケーションと技術の二つの軸があります。エンジニアには、技術力を持っているけれど日本語の出来ないメンバークラスと、技術力と日本語能力のあるリーダークラスがあります。

リーダーに関しては、仕事の打ち合わせが出来る程度の日本語能力が必要です。

外国人が日本に留学したり就業したりする際に日本語力を示す定番の資格には、日本語能力試験（国際交流基金・日本国際教育支援協会）があります。レベルは低いほうからN5～N1の5段階に分かれており、N5は「基本的な日本語をある程度理解することができる」、N1は「幅広い場面で使われる日本語を理解することができる」となっています。N1・N2はかなりレベルの高い認定です。日本語通訳という職種においてN1やN2は当たり前なのですが、技術者でありながら、なおかつ日本語N1もしくはN2を持っている人は稀です。技術と日本語能力が両方とも高次元で身についているとすればそれは極めて市場価値の高い（つまり、給与がべらぼうに高い）人でしょう。日本での就業経験が3年ある技術者であっても、N2を持っている人は少数です。もちろんそういう〝掘り出しもの〟に出会えたらラッキーですが、通常のオフショア開発の業務であれば、N3で必要十分なコミュニケーションを行うことは可能です。

一方で、技術力に関しては、究極的には「やってみないと分からない」のですが、その人の経験によってかなり正確に実力を把握することができます。ハノイ工科大学の工学部を卒業していたらかなり優秀だろうとは思うものの、仕事ができるかどうかはその後の業務経験によります。

例えば、PDMSを使って配管設計を5年やっているとしても、A社でやっていたのかB社でやっていたのかによって、かなりの違いが出ます。会社によってエンジニアに求める内容や要求水準に差があるからです。一つの製品を深く追求する会社と、さまざまな製品を広く浅く経験する会社の違いもありますし、会社の資本が日系なのかフランス系なのかローカルなのか……等々、国籍による考え方や教育の違いなども影響します。

その辺のノウハウ的なところは専門のコンサルティング会社に任せるよりほかにありま

せんが、最低限、どのような経験がある人が良いのか、伝えておく必要があります。技術力の高いリーダーとメンバーによってチーム構成出来れば良く、しかも金額的に安ければ最高でしょう。リーダーが日本語ブリッジの役割を担うのであれば、他のメンバーは日本語が出来る必要はありません。リーダーの金額は高く数が少ないのに対し、メンバーは金額的に安く数も多いのです。

３名体制のオフショア開発を構築する場合、コストを問題にしないのであれば、「リーダー・リーダー・リーダー」という贅沢な構成も可能です。こうすれば誰とでも日本語で話が出来るということになりますが、ここには注意が必要です。

技術力に関しては、必ず「リーダー＞メンバー」ではないということです。いやむしろ、「リーダー＜メンバー」のことのほうが多い、かも知れません。

オフショア開発を使う企業の立場として、なんとなく日本語の出来るほうが仕事もできる、と思い込むとすればそれは錯覚です。極めて優秀な設計者だと評価されるのは、むしろ金額の安い（！）メンバーである場合が多いのです。

いいコンサルティング会社は「口コミ」を活かす

エンジニアに対する希望を踏まえ、コンサルティング会社はベトナムの求人市場に募集をかけていきます。広く呼びかけるのには、ベトナム人向けにエンジニアを募集するウェブ媒体に求人広告を出す形が一般的です。コンサルティング会社の名前で求人を広告しますので、現地のエンジニアたちに知名度があるかどうかは、集まるエンジニアの質を問ううえで重要です。

実績のあるコンサルティング会社であれば、すでにその会社を通してオフショア開発の仕事をしたことがあるエンジニアや、面接に行った経験があるエンジニアなどの口コミがSNS上に広がっているはず。「あの会社の募集ならよい条件で雇ってもらえる。労働環境も悪くない」と知られていれば、安心して多くのエンジニアが募集に応じてくれることになるわけです。

エンジニアを集める別の方法には、コンサルティング会社が独自に蓄積している人材データベースを検索し、条件にヒットする人物に対して今回の仕事に興味がないかどうか個別にアタックしていくやり方があります。これもコンサルティング会社が良質なデータベースを保有、管理しているかどうかで集められる人材の質は変わってくるでしょう。「誰かいいエンジニアを知りませんか？　今回の募集を教えてあげてください」と、口コミで求人情報を広げてもらうことも可能です。

こうして、応募してきた人材を経歴書から選別するわけですが、コンサルティング会社によっては、顧客のために現地で候補者を面接する機会を設ける場合があります。外国のエンジニアを書類だけで判断するのはさすがに危険なので、なるべく顧客側の担当者がベトナムに飛んで、候補者と実際に会ったほうが良いでしょう。

ここで揃えられるエンジニアの質と量は、コンサルティング会社の力量が如実に出るところといえます。いいコンサルティング会社が集めた候補者の場合、日頃、日本国内の地方で応募者の履歴書・職務経歴書をたくさん見ている担当者からしてみると、ＣＶ（レジュメ）のクオリティが高くて驚くことは珍しくありません。

ただし、だからといってあまり詳細な条件を設けすぎると、いかに広大な技術分野であっても、該当者は現れません。例えば、ハイドロタービンの設計において、フランシスタービンではなくチューブラタービンの経験者、などと限定されると、さすがに適合する人材はそう簡単には見つからないでしょう。(そもそもチューブラタービンの設計経験者はベトナムでは皆無、インドには極めて少数。)

このように候補者選定の段取りが整うまでで、約1カ月というところです。

面接は、1日あるいは2日程度で済ませることが多いので、候補者はこの段階で大体15~20人程度に絞られていると思います。

面接では、日本語力を求めるエンジニアには、経歴や住まい、家族などのことについて質問しながらその能力を見ます。日本語で設計図が読めるかどうかなどは、非常に重要なポイントになるでしょう。さらにコンサルティング会社が用意した内容でスキルチェックを受けさせ、実務能力を測ります。

面接が終わったら希望する人物を選びますが、この際、念のため〝補欠〟として二人ほど追加で選んでおくとよいでしょう。

面接ではあれほど就職を希望していたのに、急に「働けなくなった」という場合も十分ありえるからです。

大きな理由として考えられるのは、現在働いている会社の離職が取り消しになったから、そして、家族に反対されたから、です。

前者は勤務中の会社の引き留めにあった、というのが最もよくあるパターンでしょう。面接に合格したので現在の会社に退職届を提出したら、「これまでの2倍の給与を支払うから残ってくれ」と引き留められた、といった話もあります。

後者は就職にあたって引っ越しを伴う場合に、比較的珍しくない頻度でありえます。日本人からすると「地方在住者が東京に就職が決まったから、家族とともに引っ越す」といった選択はどちらかというと当たり前の感覚なのですが、ベトナム人は違います。「家族のつながりは仕事よりも大事」が当然なので、「今住んでいる場所を離れたくない」という声が家族から上がると、仕事のほうを諦めるのです。祖父母世代を尊敬し、大切にする気持ちも日本より強いので、その意見が尊重される度合いもかなり高いといえるでしょう。

これは価値観の問題なので仕事の条件とは関係ありません。いくら給料が高くても「ダメなものはダメ」なのです。

ベトナム人はこのように、向上心や独立心、起業心が旺盛な一方、家族を大切にする気質も強いので、その点については採用時にかかわらず、よく配慮してあげたほうがよいと思います。

さて、面接が終わり顧客が帰日したあと、コンサルティング会社は選ばれたエンジニアに採用を伝え、雇用契約を結びます。法律的な処理や働き始めるタイミングの調整などには、1～2カ月近く要するとイメージしておくとよいでしょう。そこで、導入まではトータル3カ月が目安になるわけです。

注意しなければならないのは、この時点でエンジニアたちはコンサルティング会社に雇用され、前職は退職し、引っ越しも終え、開発ルームで稼動します。国内の派遣会社から派遣社員の提供を受ける場合と異なり、ここまでことを動かしてしまうと「やっぱりキャンセルする」という選択は違約金なしにはできません。

顧客としては試用期間を設けられれば助かるかもしれませんが、その場合でもライセンス料、設備費、事務所費、人件費は同じようにかかることを考えれば、逆に現実的ではないでしょう。特にソフトウエアのライセンス料は、仮に1カ月しか使わなかったとしても契約期間分の金額支払を免れることは出来ません。

オフショア開発のメリットは、1カ月、2カ月といった短期間で深く実感できるわけではありません。派遣会社から都合よく派遣社員を呼びよせるような軽い気持ちで検討する選択肢ではないのです。

その意味で、経営者や部門長は「この選択を必ず結果につなげる」という意志を持ってさまざまな体制づくりや調整にしっかりコミットしていく必要があるといえます。

オフショア開発に向いていない仕事とは

失敗できないということであるならば、気になるのはオフショア開発に向いている業務は何か、そして向いていない業務は何か、という問題です。

オフショア開発を始めてみたはいいが、「手放したい業務が、オフショア開発に向いていなかった」とあとで判明するのは相当の痛手です。

社内にオフショア開発によって軽減できる仕事はあるか。あるとしたら、どのようにすれば遠隔地のオフィスで作業しやすいように切り出せるか。それをよく考える必要があるでしょう。

先にオフショア開発に向いていない業務について述べます。

まず、エンジニアが製造部門と設計部門を物理的に行き来しなければ進まないような仕事は、オフショア開発拠点に任せることが難しいでしょう。

第2章でも触れましたが、エンジニアが設計内容について、製造部門に足を運んで打ち合わせをしなければならないような仕事は、ベトナム側のエンジニアに作業をさせたとしても、その内容を受け取った日本のエンジニアが製造部門の意見をベトナムにフィードバックしなければならず、コミュニケーションが複雑になります。

特に、ベトナム側のエンジニアは、製造現場がどのようになっているのか見えませんから、なぜそういう要望が製造部門から上がってくるのか、いくら説明してもよく理解できない場合もあります。逆に現場の様子を知っていたら、先回りして（気を利かせて）調整してもらえる部分もありえるはずですが、暗黙知の共有がない状態だとそれは不可能です。

したがって、例えば、ＣＡＭプログラミングは、効果的にオフショア開発ルームに切り出すのが意外と難しい仕事です。ＣＡＭの仕事は、工作機械を動かすプログラムを作成することであり、仕事の出来不出来はプログラムを工作機械にインストールして、実際に走らせてみない限り評価できません。工作機械が実際どのような仕様で、どのような動きをするのかが分からないベトナム側では「このようにプログラムを書いたら、工作機械はこのように動く」という試行錯誤を学習できません。時間とともに仕事のクオリティを高めていくことが、非常に難しいのです。

そういう意味で、ＣＡＭの仕事を的確に行うには、加工経験はほぼ必須といえます。

というのも、２Ｄ図面を見て形状をイメージでき、加工方法を考え、最小刃を含む工具を選定し、クランプを考える。固定治具を作成し、段取りができ、３Ｄモデルを見てアンダーカット（加工できないエリア）を見つけることができる……。そういう能力が必要だからです。プログラミングはもちろんとして、加工経験のあるなしが判断の適切さに大きく影響することは、言うまでもありません。

加工経験を得るとは、工作機械を保有する製造現場で働く、ということです。ソフトウエアならば、海賊版やコピー版を入手して経験を積むことは可能ですが（もちろん違法です）、工作機械ではそうはいきません。海賊版やコピー版の工作機械というのは存在しないからです。

高価な工作機械を所有できる会社は、ベトナムでは少ないのが現状です。そういう希少な会社で加工経験を身につけたか、もしくは日本国内での加工経験があるか、どちらにしてもそうしたエンジニアは貴重な存在です。

２軸もしくは２・５軸でできるプレート加工のような単純な形状はさておき、自由曲面を多く含む意匠ものやツールチェンジが１００回以上あるような複雑な形状を加工するプログラム作成を任せたいなら、そういう貴重な技術者を探し出したうえで、さらに日本研修を丁寧に行うことが必要です。そこまでして、初めて日本のレベルに近づけるのです。

次に、エンジニアが顧客のニーズヒアリングも行っているような仕事も、オフショア開発によって負担を軽減するのはなかなか難しいと思います。

例えば、機械設備を顧客の希望に合わせてその都度一点ものとして設計、製造しているようなメーカーの場合、エンジニアが顧客と打ち合わせし、要件定義から詳細設計までを行う必要があります。顧客の生産ラインを実際に見て、どのような仕様が相応しいかを理解したうえで提案する場面もありますし、設計図を作ったあとも、チェックバックを受けて調整をしていかなければなりません。

下流工程まで進んでも、何かの理由で「また上流に戻って考え直す」といった事態も想定されるため、最初に顧客の話を聞いたエンジニアは納品し検品が終わるまでずっとかかわっていなければならないのです。

こういう仕事で何らかの方法でエンジニアの負担を軽減したいと考えている場合、オフショア開発という選択肢はあまり相性がよいとはいえないでしょう。

もし、作業として切り出せる部分が定期的に一定量生じるというのであれば、そこをアシスタント的にベトナムのエンジニアに任せる、という考え方はあると思います。しかしその場合、開発ルームを安定的に稼働させておくことが難しいので、「どんな仕事を与えるか」は、やはり慎重な検討が必要になってくるのではないかと思います。

こうしてみると、オフショア開発ルームを最も有効に活用するには、やはり「やることが明確である」ことが第一、ということになってくるでしょう。

例えば、解析のための準備（メッシュ作成）などはその典型です。

解析シミュレーションはその製品・目的によって、応力、構造、強度、振動、熱、流体、音響……など多種に及びますが、その前提条件（材料や形状や厚さや重さや……）は正確に準備する必要があります。前提条件が不正確であれば、解析結果も違ってきます。このメッシュ作成は、速く正確にできるのであれば、どこの国の誰がやっても同じです。この準備作業が整えば、ソルバー（計算用ソフトウエア）にかけて計算します。大変な時間がかかるので、メーカーによってはスーパーコンピューターをレンタルして使っていたりもします。

上流工程の担当者が欲しいのは、解析の結果です。それをもとにして、「もっとどうするべきか」を考えるところが重要な仕事です。それなのに人手が足りないせいで、解析の準備作業も上位の担当者が行わなければならなくなっている現場が日本には多いのです。

そこでメッシュ作成、もしくは解析結果の報告書作成までをベトナムの開発ルームに任せることが出来れば、日本の担当者は丸ごとその手間から解放されます。3Dモデルを渡せば、解析結果が送られてくる。場合によっては、3Dモデル作成からベトナムに投げることもできます。日本側担当者はその間別の仕事が出来ますから、より高度な能力が必要とされる設計業務に充てられる時間が増えることになります。

私の会社で以前あった例としては、「コストと重さを一定の条件に収めつつ、最も強度を高めるにはどのような形状が良いか、考えて」という投げかけがありました。こうなるともはや、ほぼほぼ丸投げとなり、日本側は非常に楽が出来るでしょう。

使い始めは当然、作業レベルの仕事を振っていきますが、慣れたら少しずつ考える部分を増やしていくことで、エンジニアたちが仕事に慣れつつ成長していくことを待つのです。だんだん任せられる部分が増えてくれれば、日本のエンジニアの負担はそれだけ軽くなり、新しい仕事にエネルギーを注ぐことが可能です。

このとき、開発ルームのリーダーにある程度、経験のあるエンジニアを配することができれば、そのエンジニアを介してメンバーが育っていくことも期待できます。日本の担当者が三人のベトナム人エンジニアすべてに目を配るのは大変ですが、リーダーを窓口にすることで、「開発ルームのパフォーマンス」を一個として扱うことができるわけです。

遠隔でのコミュニケーションが中心にはなりますが、考え方としては「部下を育てるように仕事を与えていくことが可能かどうか」を検討してみると、オフショア開発の効果がどれほど期待できそうか、見えてくるのではないかと思います。

人員体制は好きに調整できるのか？

ここまで、オフショア開発ルームを三人体制にした場合を想定してコストや運用イメージを説明してきましたが、開発ルームの体制をどのようにするのかは、基本的には顧客の要望次第でどうとでもなるところだといえます。必要ならば、リーダー1、サブリーダー1、メンバー三人の五人体制にしてもよいでしょうし、社内の機械設計部門とソフトウエア部門それぞれで開発ルームを持つことにし、ベトナム側でも打ち合わせをしながら作業を進めてもらえるようにする、といったことも不可能ではありません。

例えば、隣り合う開発ルームを二つ押さえ、ソフトウエア部門にはノートパソコンを支給することにすれば、彼らはパソコンを持って機械設計部門の開発ルームに移動し、日本の担当者と一斉に打ち合わせをすることが可能になります。

かなりの変化球ですが、日本人のリーダーを送り込み、その下にベトナム人のエンジニアをメンバーとして配する、という考え方もあるかもしれません。チームが英語や日本語、ベトナム語でコミュニケーションがとれるなら、日本側としては非常に安心の体制といえるでしょう。

あるいは、日本側にベトナム人のエンジニアをコントローラーとして配し、そのエンジニアを窓口にしてベトナムの開発ルームに指示を出していくという考え方もあります。

ベトナムのエンジニアには日本での就業経験が長く、日本の会社のやり方に非常に慣れている人もいます。もしそういう人を起用することができれば、開発ルームに対する社内のオーダーをコントローラーのベトナム人エンジニアがすべて引き取り、その後オフショア開発ルームに回して行くというやり方がとれます。この場合、開発ルーム側は仕事の指示を母国語のベトナム語で受けることが可能になるので、より細かなニュアンスを反映した仕事をしてもらえるという期待があります。

もちろん、すでにベトナム人をエンジニアリング部門で雇用しているという会社なら、その人にコントローラーの役割を与えていくという考え方もあるでしょう。

オフショア開発ルームの設置・運営サービスは、コンサルティング会社が人数体制もパッケージを用意していることが多いですが、それはあくまでも目安です。自社のニーズ次第で、いかようにもカスタマイズできるものと考えて構わないと思います。

オフショア開発ルームの利用は通常、「コンサルティング会社と1～3年程度の長期契約になりますから、適切なタイミングで体制の変更を検討してもよいでしょう。もちろんそのまま更新することも可能ですし、そのタイミングであれば解約も可能です。

ただし、契約満了時ではないタイミングで解約をしたり、人員を削減したり、となった場合は違約金としてコストが発生する場合があります。

ベトナムでは、高度な技能を有する労働者（例えばエンジニア）は試用期間が最長60日と定められており、有期労働契約の最長期間は3年（更新がある場合は5年）。更新は1回しかできず、2回目以降は無期契約となるのです。コンサルティング会社はこうした現地の労働法の事情を踏まえてオフショア開発支援のサービス内容を設定していますから、特に契約期間について前言を違えるようなことがあると、労使トラブルの原因になる可能性性があります。

もちろん、労使トラブルは、一義的には、ベトナム人エンジニア＝コンサルティング会社の間で生じることなので、顧客はあずかり知らぬと言ってしまえばそれまでです。しかし、安易にスタートし、「やっぱり辞めた」と追加コストを払って中止するというのでは、顧客・エンジニア・コンサルティング会社の誰も得をしない結果に終わってしまいます。導入前はコンサルティング会社ともよく意見交換をして、長い目で成果を見る準備ができてから、踏み切りたいところです。

離職するリスクはどのように抑えるのか

もちろん、逆にエンジニアのほうから辞めてしまう、という事態も考えられます。理由はさまざまですが「仕事が合わない」「条件に不満」「職場が楽しくない」など、その内容は日本人の離職理由と本質的には異なるものではありません。

エンジニアとの条件交渉および心身の健康のケアは、基本的に、雇用関係を結んでいるコンサルティング会社の責任の範疇です。

給与に関しては、第2章でも少し触れましたが、「顧客企業としては人件費を低く抑えられてありがたいが、ベトナムのエンジニアにとってはほかの会社で働くよりも割がいい」という金額を設定することで、納得感を与えることが可能です。

ただ、仕事の不満とはお金の面だけではありません。人間関係、特に上司とのコミュニケーションがうまくいかないと仕事への興味が失われてしまうものです。

つまり、日本側で指示を出す担当者との人間関係は「職場の悩み」になり得るので、注意が必要です。開発ルームのエンジニアが抱きやすい仕事への不安や不満は、程度問題ですが、ざっくり言えば次のようになります。

（レベル1）「指示が分かりづらい」「連絡が密でない」
（レベル2）「簡単な作業のみが何年も続く（例えばトレースばかり3年続くなど）
（レベル3）「連絡が取れない」「そもそも仕事がない」

仕事のことで注意されたり、叱られたりすることはさほど問題ではありません。日本側も納期が迫っているときに深刻な問題が発生すれば、感情的になるのも当然です。そういう修羅場も乗り越えていくことによって、連帯は深まるし、情もわくというものです。

（レベル1）のようなことは、些細なことですが、蓄積すると大きなストレスになります。

「もうちょっと分かりやすい図面を描いてください」といわれるものの、CAD製図基準が示されないため、どうやると分かりやすくなるのかわからない。あるいは、担当者が複数いて、人によって指示が異なるような場合です。

（レベル2）は、先が見える場合はあまり問題になりません。来年からは○○もやらせる、などの予定があればモチベーションは維持できますが、一生これが続くのか、と思われると離職原因になります。

危険なのは（レベル3）で、コミュニケーションが取れないこと。例えば、分からないことがあってメールしたのに、1週間たっても返信がないとか、日本側担当者がいつも不在で話が出来ない、など。あるいは、仕事がなくて、何もすることがない状況でありながら、何の指示もなく放置されている。そういう状況は、たとえ給与が高くても引き留めるのが難しくなります。

このような仕事のコアな部分のやりがいに関しては顧客企業マターである面も多いのですが、コンサルティング会社（のスタッフ）がベトナム人エンジニアたちときちんと信頼関係を築けていると、そうした不満もいち早くすくいとることが可能です。場合によっては、ベトナム人スタッフを使いヒアリングの場を設けることもできます。

その内容を顧客企業が共有すれば、エンジニアたちとの関係改善につなげることができるでしょう。現地の人たちの気質によく慣れたコンサルティング会社であれば、このような形で業務の効率化に寄与することも可能なわけです。

「会社に通うのが楽しい」という気持ち、いわゆる職場への所属意識を高めるのもコンサルティング会社の働きかけ次第です。例えば、ベトナム人は大勢で交流することが好きなので、エンジニア全員参加のイベントなどを行うと効果的です。忘年会などの飲み会、社員旅行、サッカー大会などが思い浮かびますが、執行する場合は、これも雇用者であるコンサルティング会社が企画することになります。

最近の日本の若い社会人はどれも敬遠しそうな気がしますが、ベトナムの人たちは大勢で盛り上がることが大好きなのです。こうした従業員サービスが熱心に行われることで、エンジニアの離職率はかなり抑えることが可能でしょう。

参考までに、私の会社のベトナムにおけるオフショア開発支援事業では、エンジニアの離職率は毎年4％台で推移しています。ベトナム企業全体の離職率は15％程度、ベトナムの日系企業でも離職率は10％近くありますから、これは悪くない成績といってよいのではないでしょうか。

ちなみに、直近の成績では、２０１９年度（２０１９年4月1日~２０２０年3月31日）では、２１５名のエンジニアが在籍し、退職したのは6名（２・８％）でした。しかも、離職した人は、仕事が嫌で辞めたのではありません。フランスの会社に就職した妻に同行して渡仏した人、「日本に住みたい」と希望する妻の希望を叶えるために退職した人（ちなみに奥様は日本語が全くできない）、田舎の家族（父親）が体調不良で実家に戻ることにした人など、どれも納得のいく理由です。

別の箇所でも触れていますが、妻の希望や両親の健康などの家族の問題は、ベトナムでは特に軽視できません。「仕事よりも家族」は、ベトナム人にとって、揺るがない価値観だからです。

離職率が低いということは、教えたことがムダになりにくいということです。仮に自社の開発ルームのエンジニアが辞めてしまった場合、新たに補充することになりますが、またイチから仕切り直すのは大変な手間です。その確率を少しでも減らすことができれば、見えない部分でコスト効果につながっていくはずです。

情報漏洩の心配はないか

実務面で気になることといえば、情報漏洩のリスクもあります。

対策の切り口はいくつか考えられますが、次のような体制を取っているようであれば、まず安心してよいのではないかと思います。オフショア開発のサービスを検討する際は参考にしてください。

IT環境の対策

①ワークステーションのデバイス制限

USB、光学ディスク、SDカード、外付HDD、Wi-Fi、Bluetooth、カードリーダー……などは全て制限をかけ、これらのデバイスを通して情報を取り出すことができないようになっている。業務遂行上デバイスを制限しないでほしいもの（特定のUSBメモリなど）については、アプリケーション上でホワイトリストとして指定する。

プリンターは「A3の紙図面があったほうが仕事しやすい」と考える場合は導入する。

ただし、必ずシュレッダーとセットにし、そのうえで、紙図面（機密情報）の廃棄についてルールを定める。

②インターネット制限

ルーターの設定・ソフトウエアの制御により、原則的にインターネットはそもそもつながらない。必要最小限のコミュニケーションツール、ファイル転送クラウド、メールなどだけが使えるようにする。

業務を遂行するにあたって閲覧できたほうがよいページがある場合（技術用語を翻訳するサイトや、機械要素のＷｅｂカタログでＣＡＤデータをダウンロードできるサイトなど）、指定されたＵＲＬをホワイトリストとして接続を許可し、それ以外を遮断。当然、違法な海賊版ソフトをインストールできるようなページにはつながらない。YAHOO!やYouTubeなども当然、見ることはできない。

もし「自由にインターネットが使えたほうが良い」という場合、特殊なソフトウエアを用い、自由にインターネットを閲覧できるが日本から預かっているモデルデータ（機密情報）はインターネット上にアップロードできない、という設定にする。

どんなに高性能なルーターで設定しても、そのルーター自体を家から持参した別のルーターに取り換えることができてはセキュリティ上意味がないので、ルーターにはアクセスできず、スマートフォンのテザリングも使えないようにする。パソコンは、IEEE802.云々のような無線ＬＡＮやBluetoothなどの機能を、そもそも取り外しておく。

③メール制限

Outlookなどのメールソフトを完全に使えないようにすると、さすがに通常業務に支障をきたす。かといって、日本側ユーザーから受け取っている図面データなどをメールに添付して、(故意か故意でないかに関わらず)他者に送信されたら大問題となる。

そこで、メールには制限をかけ、例えば同じ会社内の特定の相手にのみ送信できる、というようにする。仮に指定されていない第三者に送信した場合、「いつ、誰が、誰に、何を送ろうとしたか」というレポートが担当者(特定の相手)に届く仕組みとなっている。

④管理者権限の剥奪

Administrator権限を剥奪する。

これにより、仮にインターネットなどに接続できる環境であったとしても、用意されたソフトウエアをアンインストールすることも別のソフトウエアをインストールすることもできなくなる。知らぬ間にファイル共有ソフトウエアなどがインストールされており、そのせいで機密情報がどんどん外部に流出するといった問題が決して起こらないようにするには、インターネットの制限だけではなく、権限剥奪によってそもそも、いかなるソフトウエアもインストールできないようにすると安心。

また、このような設定には、ライセンス料にまつわる高額の請求リスクを防止する目的もある。

CAD／CAM／CAEなどのライセンスは極めて高額で、メーカーはその使用を厳しく制限している。日本で購入したライセンスをベトナムで使うことはできず、その逆もできない。そんななか、例えば、Solidworks使用のエンジニアが、2D図面作成の業務を行う場合、「AUTOCAD LTのほうが使いやすい（使い慣れている）から」という理由で、ついインターネット上にある無料版やAcademic versionを使用してしまい、後に大事になるという危険がある。

開発関連の機密情報が外部に流出しないことはもちろん重要だが、ある日突然ソフトウェアメーカから数千万円（場合によっては数億円）の請求が来てビジネスが破綻する、といったリスクも避けなければならない。

⑤ＨＤＤ暗号化

記録内容を暗号化する。どんなにセキュリティを施した開発ルームとワークステーションであっても、監視カメラに録画されることをものともせず、物理的な暴力によってドアを破り、電動カッターで鉄製のチェーンを切断し、むりやりパソコンを盗み出すことは可能である。そういう面でも、ＨＤＤの暗号化をしておけば、犯人は中の情報を読むことができない。盗み出したＨＤＤを他のパソコンに接続しても、機密情報は意味不明な文字列でしかない状態となるからである。

ＩＴ環境以外の対策

①指紋認証ドアロック

開発ルームのドアは指紋認証で開閉。登録された人しか出入りできない。

②チェーンロック

ワークステーション、パソコンなどをチェーンで固定。物理的な持ち出しを禁止。

③携帯端末の持ち込み禁止

開発ルームの入口に各人用の携帯電話（スマートフォン）専用ボックス。開発ルーム内への持ち込みを禁止し、撮影などによる情報漏洩を防ぐ。

④監視カメラ

開発ルーム内を24時間体制で監視、録画。1カ月程度の期間、録画情報を保存。

⑤秘密保持契約

エンジニア個人との契約により、情報拡散を制限。

⑥警備員

建物には24時間体制で警備員常駐。

ざっと挙げてみましたが、このような対策が十分取られているようであれば、うっかりや不注意による情報漏洩も意図的な情報持ち出しもかなりの精度で防止することができると思います。

ただ、ここまで読んで、セキュリティに詳しい方は、「デバイスの操作ログは取らなくてよいのか？」と思ったかもしれません。

エンジニアがパソコンに対してどのような操作をしたのかを記録するソフトウエアはサーバー用、ワークステーション用それぞれにあるものの、機密情報が外部に漏れないようになっているのであれば、そこまでするのはやや過剰な対策といえるような気がします。操作ログが残ることをエンジニアに意識させることで、彼らが違反行為に及ばないよう予防する効果は確かに生まれるでしょう。しかし、エンジニアたちに「そこまで私たちを信用していないのか」と思われては、モチベーションや信頼関係に関わります。

セキュリティは、追求すればどこまでもお金がかけられる世界でもあります。ただ、厳しいセキュリティを求めすぎてコストが莫大になれば、そもそもオフショア開発を行う意味が失われてしまいますから、バランスを見て判断するべきでしょう。

ちなみに、安全かつ円滑な運用のために案外重要なものには、システム運用・保守チーム（ベトナム側と日本側）の能力と対応力も挙げられます。

セキュリティ状態を常に維持するためには、Windowsの更新、セキュリティソフトの種類検討、ＣＡＤソフトなどライセンス更新、各種アプリケーションのバージョンアップ、インターネット制限の追加や削除、デバイス制限の着脱、各種ソフトウエアの相性の問題への対処、緊急時対応やトラブルシューティング、各種設定・調整など、さまざまな業務が必要です。複雑なシステムが競合すると、原因不明の不具合が生じることもあります。日々変わりゆく状況でこうした事態に、システム運用・保守チームが柔軟に対応ができるかどうかで、オフショア開発のスムーズな運用が決まります。

ちなみに、私の会社では、２０２０年３月時点で、ソフトウエアの数は１６３３本（パソコン２６８台）が稼働しており、そのライセンス管理（当然すべて正規版）だけでも膨大な業務となります。不具合が発生したときに、何が起こっているか、どう対応すべきか、復旧の見通しはいつかなどを日本側のシステム担当と共にフォローできる体制を整えておくことが欠かせません。

急ぎの対応や残業はさせられるか

急ぎの仕事や残業が発生した場合、ベトナム人は果たして動いてくれるか。

これも実務的には気になる話題でしょう。個人主義が強く、あくまで定時の退社にこだわるような気質の人たちばかりだと、少々扱いにくい印象になってしまいます。

ただ、この点は「基本的には大丈夫」と考えてよいと思います。仕事の目的や意義をよく理解しているほど、「なぜ急がないといけないのか」を自分でも考えてくれ、より前向きなコミットを引き出すことができますが、これは日本人でも同じことです。

ベトナムでは、残業は30時間／月までと決められていますが、それをはるかに超過する残業をやっている会社も珍しくありません。しかも、残業がある会社に入りたい人は大勢います。

これが問題にならないのは、残業が多くても誰もクレームを言わないので、企業に対して行政的な注意や指導がないからです。というのも、ベトナムにはサービス残業という考え方がありません。残業代は通常賃金の１５０％（休日出勤は２００％）と決まっています。したがって、「残業はお金がたくさんもらえるので基本ウェルカム」というエンジニアがベトナムには多いわけです。

私の会社の顧客にも、プロジェクトに応じて「(日本時間の) 夜の8時に仕事を出して、明日の朝10時30分までに欲しい」といったかたちでベトナムのチームを動かしているところがあります。

納期が迫っているときは、日本側と同様、ベトナム側も必死になります。時間のない厳しい状況ではときに怒鳴られ、叱られ、現場は昼夜を問わず修羅場と化しますが、それでもなんとか目標に向かってにじり寄っていく。そういう中から、距離は離れていても、同じチームとしてのさらなる連帯感や信頼関係がますます強くなる。そんなふうにして、お互いはかけがえのない仲間となっていくのだろうと思います。

導入の効果はどのくらいで実感できるのか

オフショア開発は、導入後1カ月、2カ月といった短期間で効果を実感できるソリューションではありません。エンジニアをじっくり育て、会社のやり方をよく理解させたうえで、じわじわと効果を実感できるものです。

だからこそ、外部に出したい業務が通年で（慢性的に）発生している現場こそ、オフショア開発の活用には向いているといえるでしょう。逆に単発で不定期に業務が発生するようならば、オフショア開発は諦めて請負業者を活用したほうがよいかもしれません。

表は、請負とオフショア開発をコストと期間で比較したものです。

外注に出す仕事量が年間どの程度あるのか、そしてその費用はどの程度かかっているのか。単純比較はできないものの、アウトプットされるものの品質やスピード、打ち合わせにかかる手間などがすべて同じという前提で両者を比較すると、「時間当たり単価（一人月）が高くても、1年の中で短い期間しか外注を使わない」のであれば、請負のほうが有利です。とはいえ、「高くても」とは具体的にどの程度の金額を意味するのか。また「短い期間」とは何カ月のことをいうのか。そういうことを簡単に表したものがこの表です。

1名の時間当たり単価が10,000円だった場合、1年の中で3カ月以上外注を利用するのであればオフショア開発が有利、また、1年の中で3カ月程度しか外注を利用しないものの、その外注費が時間当たり単価で10,000円を超えるのであれば、やはりオフショア開発が有利。1年中外注を使い続けているが、その時間当たり単価が2,500

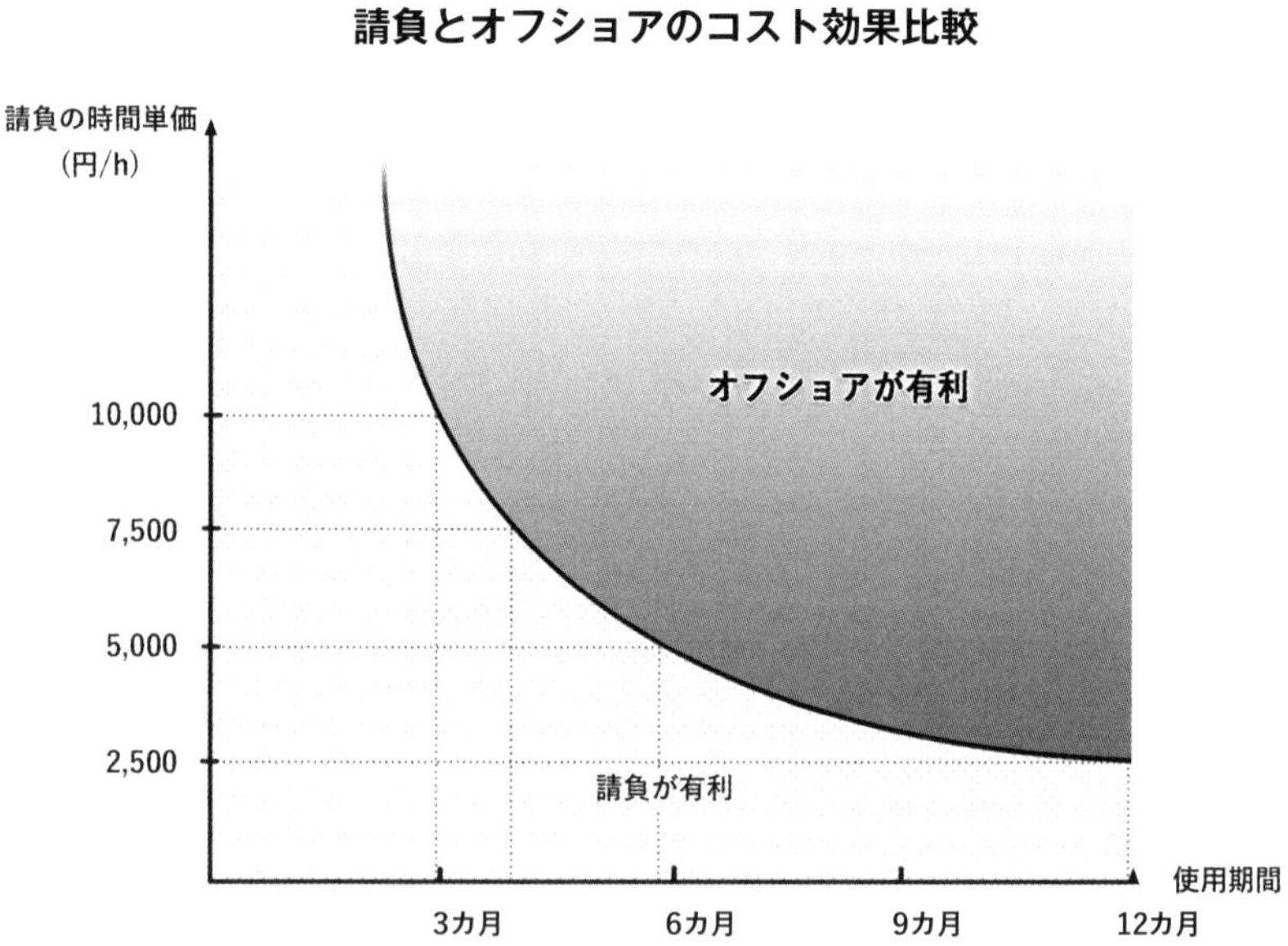
請負とオフショアのコスト効果比較
請負の時間単価
(円/h)
10,000
7,500
5,000
2,500
オフショアが有利
請負が有利
使用期間
3カ月
6カ月
9カ月
12カ月

円より安いなら、請負を使ったほうが有利です。

また、オフショア開発は長く行えば行うほど、コスト的にもメリットが大きくなっていきます。それは、オフショア開発部隊がスキルを蓄えていくことで、コストパフォーマンスを上げていくからです。グラフは、正規社員、オフショア開発部隊のリーダーとメンバー、そして作業系派遣社員（経験者）を用いた場合のコストパフォーマンスの比較です。

オフショア開発部隊のリーダーやメンバーは、最初は下流工程の作業が中心ですが、やがてスキルを伸ばし、徐々に正規社員のスキルに近づいて行きます。長く雇えば彼らにも昇給が必要になりますが、その見返りは十分にあるといえるのではないでしょうか。オフショア開発のエンジニア費用は（リーダーであったとしても）10年使い続けても作業系派遣より安価です。メンバークラスであればさらに割安です。それにもかかわらず、スキルや技術力は作業系派遣を超え、正社員に迫ります。

これはオフショア開発を使う会社の育て方にも依存しますが、スタートから2年ですでに構想設計まで進み、自分たちで仕様を考え、設計した図面は日本側のチェックもなくそのまま工業に渡してものづくりを行う、そんなエンジニアの費用が（作業系）国内派遣よ

コストパフォーマンス比較

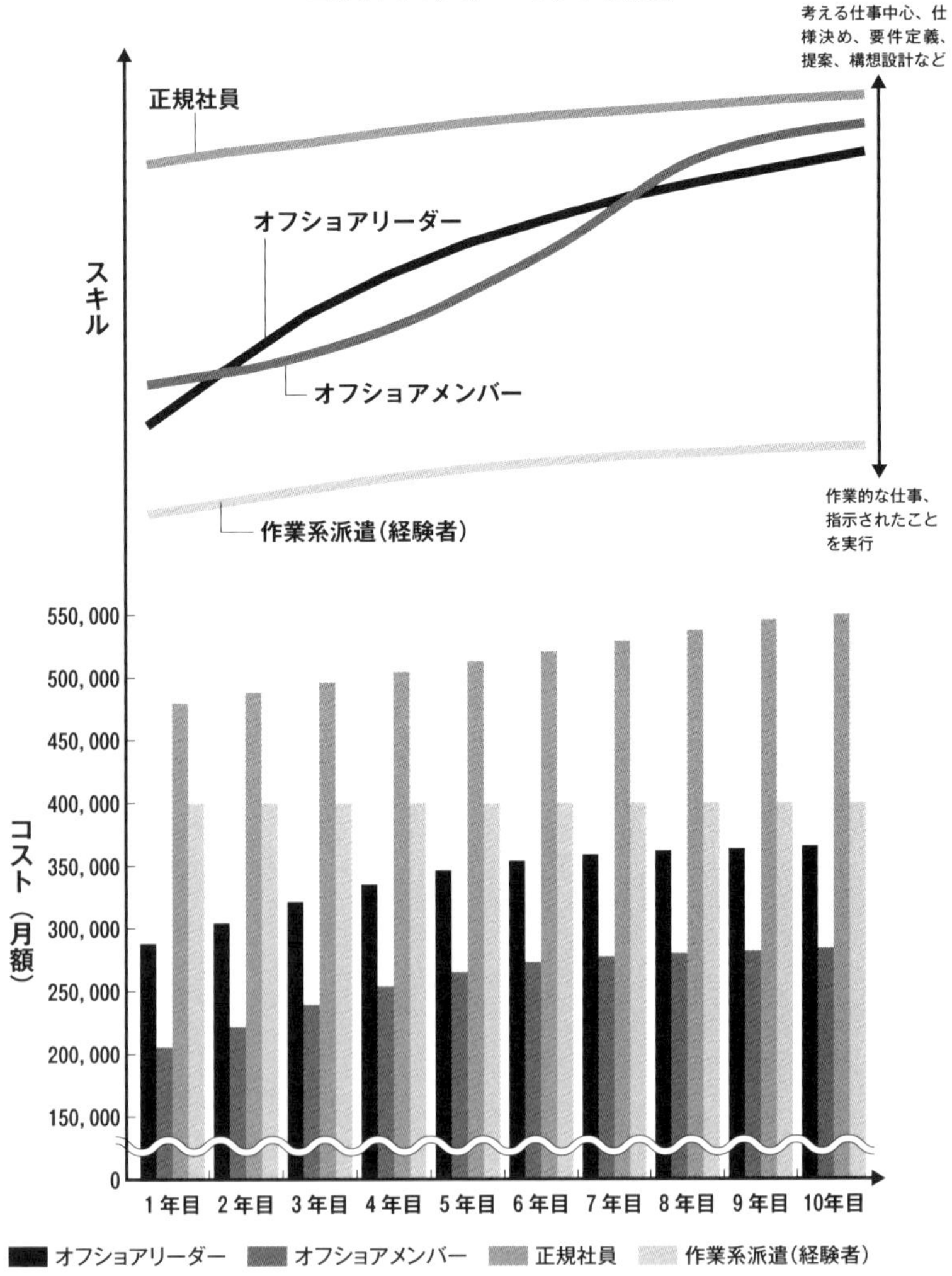
考える仕事中心、仕様決め、要件定義、提案、構想設計など
正規社員
オフショアリーダー
スキル
オフショアメンバー
作業系派遣(経験者)
作業的な仕事、指示されたことを実行
550,000
500,000
450,000
400,000
350,000
300,000
250,000
200,000
150,000
0
コスト(月額)
1年目
2年目
3年目
4年目
5年目
6年目
7年目
8年目
9年目
10年目
オフショアリーダー
オフショアメンバー
正規社員
作業系派遣(経験者)

りはるかに安い。もちろんオフショア開発には、ソフトウエア費用などがかかりますが、それはどこでも同じとすれば、コストパフォーマンスは相当高いといえるでしょう。

さらに、エンジニアたちが仕事に慣れてくると、間接的な効果によってビジネスチャンスが広がる展開も期待できます。例えば、彼らの人脈や土地鑑を活かした海外（東南アジア諸国）の取引先開拓やフォロー、負担から解放された日本側社員のより付加価値の高い業務へのシフトといった効果です。

また、思いがけない効果としてよく聞くのは、日本側の社員に意識改革が起きたという話です。というのも、ベトナム人は向上心、やる気、熱心さが非常に強く、――多少語弊があるかもしれませんが、目標がなく、意欲がなく、欲しいものもなく、ただまったりと日常を過ごしていきたいというやわな日本人には強烈な刺激になるからです。

これはオフショア開発体制の働き方ではありませんが、私の会社を通して日本にやってきたベトナム人たちは、日本で仕事を獲得したら、どんな地方に行くことになろうとも文句を言いません。暖かいベトナムに比べれば凍えるような北国の派遣先でもへこたれず、日本の会社の仲間に認められるように頑張ります。凄まじい節約をしてお金を貯めながら貧乏も厭いません。かといって、施しのように奢られることは極端に嫌がります。

貯めたお金は家族への仕送りに回し、仕事から帰ったら部屋で日本語の勉強。少し余裕が出てきたら、妻をベトナムから呼び寄せ、子どもをもうけ、車の免許を取る。中古車を買い、家を建て、２人目の子どもができたら、奥さんのために2台目の車を買う。そしてついにはベトナムから両親を日本旅行に呼び寄せ、自分の運転する車に乗せて首都高を走り、東京の夜景を親に見せるのです。

こんなふうに立派になった自分の姿を親に見せることが彼らにとっての人生の目標であり、その達成は大きな誇りなのです。だから、どんなに困難な状況でも、もっと仕事を頑張って、もっとできるようになって、もっとお金を稼ごうとします。

このような人生観や価値観だけが正解だとはもちろん言えませんが、とにかく懸命でハングリーな彼らの姿は、どうやら多くの日本人の会社員には鮮烈に映るようなのです。

このような傾向は、ベトナムで働くベトナム人であっても基本的には変わりません。彼らにとっての成功を目指してひたむきに努力し、どんなに苦労しても諦めません。そんな姿勢を目の当たりにすることで、自分たちも心が動かされ、仕事に対する意義を再認識し、働けることへの感謝の思いを新たにする。そんな意識の変化が日本人のエンジニアの間にも起こるようなのです。

以上、オフショア開発の体制づくりについて、真っ先に思い浮かぶであろう疑問に答えるかたちで説明しました。

次章では、オフショア開発の体制がスタートしたあと、上手に運営するためのコツについて、紹介していきましょう。

コラム　オフショア開発・ベトナムのホンネ 3

ベトナムのオフショア開発ルームで働くベトナム人エンジニアの声をご紹介します。

▼開発ルームを出て現場に足を運ぶ仕事が面白い
（オフィス家具メーカー・リーダー・男性）

「オフィス用の椅子を設計しています。3Dモデリング、2D図面作成の両方をしていて、強度解析も担当しています。さらに、ベトナムの部品サプライヤーを開拓し、取引先の部品の検品、出品管理も行っています。

派遣会社から『この仕事に応募しませんか？』と連絡をもらった時、椅子の設計は面白そうで、自分に合うと思いました。給料も福利厚生もよいので、条件に不満はありません。もう3年以上、この開発ルームで働いています。設計だけでなく、日本の社員とベトナムの会社を訪問するような現場の仕事もあって、これがとても面白いです。今までに3社、アルミダイカストや成型などのサプライヤーを開拓してきました。

設計の仕事では特に大きな問題はなかったですが、ベトナムの協力会社とはトラブルになったこともありました。仕上げ加工の品質をチェックして、1日50セットの納品を約束したのですが、12セットになってしまいました。日本の製造ラインが止まってしまうと、大きな損失になるので、その時は開発ルームのメンバーが3カ月、協力会社の現場へ行き仕事を手伝いました。この会社との取引はそれきりで、取引先を台湾に移しました。あの時はびっくりして焦りましたが、よい勉強になりました。

日本の会社とうまく仕事をするためには、指示がよく理解できたほうがいいですね。分からないことをすぐに確認するように、いつも意識しています。

管理の仕事は好きなので、リーダーの役割はやりがいがあります。以前の仕事では、20人くらいのマネージャーをしていましたので、もっと責任のある立場を任せてくれても大丈夫だと思います。専門知識も日本語ももっと勉強して、将来はもっとこのチームを大きくしたいです。

派遣会社が開くイベントで好きなのは、社員旅行。ベトナム国内の旅行ですが、もっと遠くに全員で行ってみたいですね」

▼実物の機械を見て学ぶチャンスが増えて欲しい

（機械部品メーカー・メンバー・女性）

「2Dの図面を受け取り、組み立て用の3Dのパーツ図面を作る仕事をしています。指示はメールとテレビ会議。テレビ会議はリーダーと一緒に、毎朝30分くらいしますが、問題がなければ5分のこともあります。毎日、進み具合を確認することと、念のため話をしておくことは大事ですね。

私はリーダーが割り当てた仕事をしています。それぞれが作ったデータを組み合わせて最終データにしますから、チームワークは大事です。私たちのリーダーは、知識もスキルもあって、ミスがあったときも怒らずに優しく教えてフォローしてくれます。

機械が好きなので、毎日、いろいろな機械の図面を見ることができるのが楽しいです。最初は知らないこともたくさんありましたが、だんだん慣れてきました。図面だけの仕事なので、実際に機械に触れることができないのは、さみしいですが……。

3年前に2カ月間、日本での研修期間中に機械を見せてもらいましたが、もっと長い期間研修したいです。直接見て教わらないと難しいこともたくさんありますから。

経験でいろいろなことが分かるようになった今なら、実際に機械を見て『なるほど』と思えることはもっと多いと思います。もう一度研修で機械を見ることができれば、もっと深く理解できる部分があると思います。

ベトナムでは、ずっと働きたい女性が多いのですが、この仕事なら女性にも働きやすいと思います。私は着物が好きなので、いつも袢纏《はんてん》を着て仕事をしています。日本にも何度か旅行しました。数年後には、東京で働きたいと思っています。日本の漫画では『名探偵コナン』が好きです。ベトナムで読める日本の漫画は『ワンピース』や『ドラゴンボール』など、子ども向けばかりです。大人向けがあまり読めないのが、残念ですね」

依頼業務の選定、社内の体制変更、日本での研修設定……

プロジェクトの成否を分ける！
オフショア開発実施前に準備すること

第4章

オフショア開発の価値を最大化するために

オフショア開発体制の導入に成功すれば、コストと残業時間の削減において相当劇的な効果が期待できることを前章で述べました。

ただ注意していただきたいのは、オフショア開発ルームの設置はパソコンでメモリやグラフィックボードを増設するような話とは違うことです。

パソコンなら、新たにメモリを増設したり、より高いスペックのグラフィックボードに入れ替えれば、それだけで処理能力は大きく向上します。しかし、オフショア開発は本社にアタッチメントを装着する感覚で導入しても、まずうまくいかないでしょう。

人を増やしてチームを拡張するわけですから、そこには必ずマネジメントの意識が求められます。エンジニアを集めたり法的な手続きに関する処理は、すべてコンサルティング会社がお膳立てしてくれますから、恐らく導入を決めた経営者・部門長は多くの場合「あっけないほど簡単にスタートできた」という感想を抱くはずです。

しかし、その感覚のまま運用をしようとすれば、必ずといってよいほど壁にぶつかります。それは、運営する側がチームビルディングのプロセスを軽視しているからです。

日本とオフショア開発ルームとの関係はあくまで「人 対 人」。しかも異なる言語と文化を背負った者同士が一つのチームとして成果を挙げていこうとしているのです。「お金を払っているのだから、向こうが合わせろ」という尊大な意識では、絶対にうまくいきません。むしろ、いかにベトナムの若いエンジニアに「この会社の仕事は分かりやすい」「やりやすい」「学ぶことが多い」そして「楽しい」といった気持ちを抱いてもらえるかといった、謙虚な気持ちが大切だと思います。

そこで本章では、オフショア開発の価値を最大限に引き出す運用を実現するために、ぜひ意識して欲しいポイントについてお話しします。

オフショア開発ルーム担当の専属スタッフを設置する

オフショア開発を成功に導く第一のポイントは、日本の開発部門の中に専属の担当者をきちんと設置することです。そのスタッフがベトナムチームに指示をし、ベトナムチームへの問い合わせにも対応する。そのようにコミュニケーションを一元化することで、開発ルーム側が戸惑う事態を減らすことができます。

立場を置き換えれば、この必要性は容易に理解できるのではないでしょうか。

もし受注した案件に関して、顧客企業の複数の社員からあれこれとリクエストが飛んでくるようだと、これは仕事になりません。どの社員も「急ぎ目で」などと注文を付けてくるようだと、優先順位も分からず、どこから手をつければよいのか途方に暮れてしまいます。複数の指示に矛盾がある場合、問い合わせなければなりませんが、どちらの指示を出した人も自分のことについてしか分かっていないので、質問をしても的確な返答は期待できません。これではコミュニケーションのストレスだけが生じ、仕事はちっとも進まないという状況が生まれてしまいます。

そういうわけで、もしオフショア開発ルームを設置したあと、「こちらからお願いしたいことができた場合は、それぞれの案件の担当者が個別にリクエストを開発ルームに投げる」というルールでの運用を考えているのであれば、やめたほうがよいと思います。

特に日本側の仕事の仕方（基本ルール）を学ぶ最中となる初期段階では、「何を教えたか」「何を教えていないか」を一人の人間が把握していないと、教育プロセスにも混乱が生じてしまいます。

また担当者を設置する際、日本側のエンジニアの手が塞がることを嫌って事務方のスタッフを窓口にすることにも、私は賛成しません。事務方のスタッフではベトナムからの技術的な問い合わせに対応できず、エンジニアの気質をよく理解している人でないとやり取りが事務的になり過ぎて、開発ルームのエンジニアの能力をうまく引き出すことができない場合が多いからです。

私が知る例では、とある機械のメーカーがオフショア開発の体制を導入し、事務方の女性社員1人を専属の担当者にしたケースがあります。経営者は事務部門の管理職とも相談し、その女性社員の業務量を調整して、彼女に1日2時間を開発ルームの対応に充てるように指示をしました。

スマートに状況が整理されたように見えますが、結局開発ルームとの連携はうまくいっていないようです。女性社員は、「毎日この2時間をオフショア開発の仕事に使う」のように決め打ちで仕事のスケジュールを組み立ててしまったため、問い合わせが来ても対応が遅かったり、向こうが話したいのに返事をメールで返したりして、仕事に対する相互理解が進まなかったのです。

即座に画面で対話していればその日に解決するものが翌日に持ち越しになってしまうよ

うなことが頻発すれば、「オフショア開発を導入したのに、仕事の速度が上がらない」ということになって当然です。事務方ではエンジニアを育てることもできませんから（育てる意識もないでしょう）、仕事の指示は外部業者への発注感覚になってしまいます。

初期段階で問い合わせに対してレスポンスがクイックでないと、ベトナムのエンジニアたちは放置されている気持ちになります。疎外感を感じ始めれば積極的に仕事に関わろうとする意欲は当然失われていくでしょう。

こうした点も踏まえて、最初はエンジニアの担当者一人がべったり張り付いて、手取り足取り仕事を教えていくくらいで丁度よいと思います。次章でも触れますが、口頭でのコミュニケーションには、ベトナムチームには外国語を聞き取る、日本側には外国人が話す日本語を聞き取る、というストレスがあります。お互いに早く慣れるためにも、日本側の専属の担当者と開発ルームのリーダーとが一対一で密に言葉を交わし合ったほうが信頼関係は構築しやすいのです。

信頼関係は仕事の効率化に影響する重要な要素です。

短期的には「日本人エンジニアの手がさらに塞がってしまう」という状況が生まれたとしても、腹を括って専属の担当者を立てたほうが半年後、1年後、あるいはその先で必ず効果的なオフショア開発が可能になっていくはずです。

仕事の進め方を初歩の初歩から文書化する

オフショア開発を導入する際には、非常に基本的な部分から社内で共有されている仕事ルールを洗い出し、できれば文書化しておくことをおすすめします。

日本人同士であれば一度口頭で簡単に指示をすれば済むようなルールでも、距離を隔てた外国人のチームには分かりづらいということがよくあります。「空気を読む」という言葉がありますが、日本人なら察することができる暗黙のルールでも外国人にはまったく気づくことができないという場合も少なくありません。

特に仕事の進め方のルールの中には、ふとしたきっかけでなんとなく定着していったものもあるでしょう。細かいものまでよく振り返り整理しておくことで、ベトナムチームにも早く同じようなやり方で仕事をしてもらえるようにしておきたいものです。

例えば、仕事で必要な資料ファイルが共用サーバーにアップされているとします。日本人のエンジニアであれば、なんとなくディレクトリを下って目当てのデータにたどり着けるかも知れませんが、外国人のエンジニアには「ここから探してください」と親ページのURLのリンクを伝えるだけでは、それすら難しい場合があります。

過去に用いた類似の設計図をさっと参照して現在の仕事が速く進められるといっても、そのファイルに至ることができなければ、時間のロスになるだけです。日本の開発室ではなんとなく情報が共有されているので、どこに何があるのかはみんなぼんやりと分かっており、手探りでも探せます。しかし、初めてそのアーカイブを見た外国人にとっては、全体像を把握するのは至難の業なのです。

そういうサーバーの中には、手すきの時間に目を通して勉強しておいてくれるとありがたい資料もあるでしょう。それをいちいち日本側で探し出して「これを読んでおいて」と指示するのは、さすがに手間がかかり過ぎます。

最初は「資料データの探し方」も画面越しに実演するなりしてレクチャーする必要がありますし、やがて自力で目的のファイルに辿り着けるようにディレクトリを整理する必要もあるでしょう。あるいは、どこに何があるのかが一望できる資料を作成するとよいです。

とにかく外国人が初めて見ても、分かりやすいように、情報はシンプルなルールで整理し直しておく必要があるのです。

「Aという作業が終わったら、Bをする。それが終わったらC。うまくできない場合は、Bに戻ってxを確認する。……」

そんな作業順序も、分かりやすいマニュアルにしておくのです。

パソコンに座る後輩を先輩が後ろから教える、といった伝え方はできませんし、同じエンジニアといっても、仕事の進め方には前職の影響で〝色〟が付いてしまっている可能性もあります。非常に初歩的なルールや手順まで文書にして整理しておくことで、あらゆる作業でそれを確認しながら、誤解や過不足なく進めておけるようにしておくことが理想です。

マニュアルに則って作業を進めるようにさせれば、「今日はどこまで終わっていて、明日はどこからなのか」の質問も容易にできます。担当のエンジニアが急に休んでしまったときの引き継ぎも資料に基づいて行えればより確実です。

仕事をしながら発覚する認識の違いをゼロにすることはもちろん不可能です。しかし、それでも事前にできるだけ備えておくほうが大きなトラブルは起こりにくいと思います。

例えば、見落としがちな初歩的ルールには、「ファイル名のつけ方」があります。

仮に、開発室ではファイル名を「顧客名」案件の略称」担当者名」作成日」のようにつけることが暗黙のルールになっているという場合、日本人の新人エンジニアなら、ファイルサーバーにほかの人がアップしたファイルを見て、その意図するところをすぐに理解するかもしれません。あるいは、先輩がひと言教えてやればそれで済みます。

しかし、オフショア開発ルームのベトナム人にとっては外国語の羅列ですから、その意図を十分汲み取ることはできないと考えたほうがよいでしょう。

つまり、外国人のために作業マニュアルを作成する際は、そこまで戻って文書化してやったほうが安心なのです。

「こんなことが伝わっていなかったのか！」とびっくりすることは、日本人同士よりも基本的な場面で起こりえます。

そこで、仕事を与える際は、初日から本業の作業をさせるのではなく専用アプリケーションを使ったトレーニングから入っていったほうが安心かもしれません。設計図を見せて、「これと同じものをつくってみて」と、ごく簡単な仕事をさせてみるのです。こうすれば、相手の力量を安全に観察することができますし、コミュニケーションがどの程度成立しているのかも推し量ることができます。

いきなり実際の仕事に関わる作業を振って失敗してしまうと、任せたほうも任されたほうも苦い記憶からのスタートになってしまい、その後は守りに入りがちになってしまいかねません。お互いなるべく成功体験から入っていけるようにしたほうがベターです。そこで、ごく簡単な作業を指示し、やらせてみるというかたちで、お互いに「オフショア開発」を練習する機会を設けるのです。

専門用語の「日本語・英語・ベトナム語」の対応表を作る

仕事内容を文書化する過程で絶対に欠かせないのは、専門用語の対応表を作っておくことです。さもないと、エンジニアの知識レベルや力量を低く見積もってしまう可能性もあり、大きな機会損失になりかねません。

例えば、「ベアリングって分かる?」と日本語で尋ねたら、ベトナム人のエンジニアは「知らない」と言うかもしれません。「ベアリング。bearing。知ってる?」と、英語で伝えても分からないかもしれません。

しかし、そこで「君、ベアリングも知らないの?」と呆れてしまうのは、まことに早計です。

ベアリングはベトナム語では「mang(マン)」。当然、ほとんどのベトナム人エンジニアは知っているはずです。あるいは、画像検索などで「これのこと」と言っても、大抵の場合、「知っています」となるはずです。

しかし、専門用語が出てくるたびに、いちいちこんな確認作業をしていたら、仕事になりません。オフショア開発ルームの設置が決まったら、自社で頻繁に使われる専門用語を洗い出し、英語・ベトナム語に対応させる作業を進めましょう。オフショア開発を導入した大手メーカーでは、４０００語以上の専門用語について辞典を作成している例もあります。

「ベトナムのエンジニアが専門用語を日本語で何というか知らなかっただけで、本来できる仕事を与えることができなかった」となれば、これは非常にもったいないことです。「モノは知っているが、言葉を知らない」という状況が生じてしまうと、エンジニアのポテンシャルを十分に発揮させることができません。

逆に、オフショア開発が始まる前にベトナム人エンジニアに対応表を渡し、事前に目を通しておいてもらうことにすれば、時間を有効に使うことが可能となります。

FA用語リスト

	日本語	英語	ベトナム語
1	ベアリング、軸受	bearing	mang
2	ディファレンシャルギア	differential gears	bánh răng vi sai
3	シリンダ	cylinder	xy lanh
4	エアシリンダ	air cylinder	xy lanh khí
5	バルブ	valve	van
6	ソレノイドバルブ	solenoid valve	van solenoid
7	サーボモータ	servo motor	động cơ servo
8	ステッピングモータ	stepping motor	động cơ bước
9	センサ	sensor	cảm biến
10	スイッチ	switch	công tắc
11	タイミングベルト	timing belt	đai định thời
12	カム	cam	đĩa cam
13	クリープ防止軸受	anti-creep bearing	Bạc lót ổ trượt
14	シャフト	shaft	trục truyền động
15	軸	axis	trục
16	主軸	spindle	trục chính
17	ローラー	roller	con lăn
18	シール	seal	vòng bịt
19	ネジ	screw	vít
20	送りネジ	feed adjustment bolt	bu lông điều chỉnh nạp liệu
21	ボールネジ	ball screw	vít me bi
22	リンク	link	liên kết
23	シーケンサ	PLC	PLC
24	フィルタ	filter	bộ lọc
25	継手	coupling	nối khớp
26	インバータ	inverter	biến tần
27	三相インバータ	three-phase inverter	biến tần ba pha

本社とオフショア開発ルームで作業分担を明確にしておく

マニュアルを整理する過程で見えてくることですが、日本側ではどんな業務を担当するのか、オフショア開発ルーム側ではどんな作業を担当するのか。役割の定義はきちんと明確にしておくようにしましょう。

仕事の連携でトラブルやストレスになりやすいのは、「誰がどこまでやるのか」で共通理解が得られないまま山場に突入してしまうことです。特に仕事を振られる側は断りづらい状況ですから、事前に聞いてない作業まで急に責任を持たされるような展開には強いストレスを覚えます。

こうなると、日本人の担当者の采配能力に対しても不信感を抱くようになってしまいます。

例えば、「2D設計図の3Dモデリング」だけを指示されたのに、ほかの設計図との整合性チェックをあとから指示される。それが終わったらまた場当たり的に指示が飛んでくる、といった作業のさせ方は終わりが見えず、視界が狭い下流工程の立場としてはとても疲れます。

そういうことのないように、作業は何を任せたいのか、どこまでの内容に責任を持って欲しいのか、明確に定義しておいたほうがよいでしょう。

もちろん仕事の性質上、作業をきれいに切り出すのが難しい、というケースもありますが、そこを試行錯誤することが、オフショア開発を活用するノウハウの蓄積になっていくのだと思います。

このとき、「最初の3カ月はこの作業を任せたい。仕事を覚えてきたら、次の半年でこれを任せたい。さらに次の1年では……」などと、仕事の分担体制のビジョンまでベトナムチームに伝えることができると、モチベーション維持のうえで効果的です。

最初に与える作業はどうしても試運転になりますし、そこから会社のやり方や顧客の特長を学んでいく時間も必要となると、半年程度はオフショア開発ルームも単調な仕事に終始せざるを得ない可能性があります。

この段階でベトナム側から「学ぶことが少ない」といった不満が出にくいようにするためにも、仕事分担のロードマップを示し、エンジニアとしての成長の可能性は十分あることをあらかじめ示せるとよいと思います。

日本での研修プログラムを検討する

ベトナム側のエンジニアの仕事の精度を高めるには、製造現場に触れさせることが最も効果的です。

自分の設計した内容が、どのように用いられ、製造ラインでどんな製品が作られているのか。まさに百聞は一見に如かずで、繰り返し言葉と資料で説明するよりも、日本に呼び寄せて研修を受けさせ、自分の仕事の後工程を直に見せたほうが、長い目で見ると費用対効果は高いでしょう。

例えば、2D設計図の3Dモデリング作業をさせているといっても、開発ルームのエンジニアは実際それが何に使われているのかまったく理解していないということもあります。単に送られてくる図を3次元化しているだけ、という状態だと、専門的な単純作業に過ぎません。エンジニアたちにも、自分の仕事に付加価値を付けようという思いは芽生えにくいでしょう。

その点、自分が設計したものを工作機械がどのように形にしていくのかを目撃するだけでも、エンジニアとして、与えられた仕事の意義への理解を深めることができます。加えて、「日本で学べた」という喜びも味わえれば、大きくモチベーションがアップすることが期待できます。

ベトナム人が日本に入国するにはビザが必要で、申請から交付までには少なくとも8業務日、長い場合は1カ月近くかかる場合があります。コンサルティング会社を活用し、社内の調整を図りながら研修プログラムの内容を組むようにするとよいでしょう。短期滞在の場合、商用を目的とした短期滞在では、滞在期間は15日、30日、90日のいずれかでビザの申請が可能です。

研修を通して現場の知識を共有できていると、それだけで細かい部分で自主的に調整を利かせてもらえるようになります。

日本の開発室がどのような体制なのかを知り、交流を深めることもできれば、その後のコミュニケーションも当然スムーズになります。

すると、日本側も仕事へのダメ出しをしやすくなるし、ベトナム側も問い合わせがしやすくなります。それまでは日本側が「向こうも現場も知らないのだから、できなくて仕様がない。こちらで直してしまおう」と、仕事の仕上がりに多少不備があってもチェックバックを面倒くさがって早めに引き取っていたものでも、差し戻して修正を指示しやすくなるのです。ベトナム側のエンジニアも、自分の仕事へのフィードバックがもらえたほうが、改善と成長につなげられるので勉強になります。

こうしてお互いに相乗効果が生まれれば、より高いクオリティの共同作業が可能になっていきます。

年次有給休暇、正月（旧暦）休暇を尊重する

ベトナム人は、まじめで向上心があり、仕事に対する責任感もあります。労働観では日本人と重なる部分も多いのですが、逆に相容れない面も少なくありません。共感できる部分が多いからといって、日本人の部下と同じような考え方、振る舞い方を期待してしまうと、心理的な齟齬を生むことになりますので注意が必要です。

まず、ベトナム人は労働条件に関しては、日本人よりもシビアに見ています。義務と権利の線引きは日本人よりも明確にしていることを理解しておく必要があるでしょう。仕事については、納得すればしっかり付き合ってくれる面がある一方、例えばサービス残業の

ような形で上司や組織に忖度することはありません。

ベトナムでは1年間働くと年次有給休暇が12日とれますが、これは労働者の権利なので、エンジニアたちもあまりためらいを感じずに休暇をとります。

「有休をとるなら状況を理解して、時期を考えて欲しい」といった〝空気を読む〟ような期待は、あまり持つべきではありません。そもそも、ベトナムの開発ルームからは、日本の現場の繁閑状態は肌感覚で分かりにくいでしょう。

もし配慮して欲しいのであれば、なるべく納期や必要な対応に関して、事前に細かく情報を共有し、「この期間は、休まないで対応できるようにしておいて欲しい」など、言葉で明確に要求を伝える必要があります。

それでも仕事よりも家族を優先する国民性ですから、ままならないことは珍しくありません。

例えば朝、「子どもが熱を出したので、妻と一緒に子どもを病院に連れて行きます。午前中は休みます」といった連絡が急に送られてくることもよくあります。日本人の感覚からすると、「お母さんが付き添うなら、出勤できるのでは?」となりますが、そうではないのです。ベトナム人にとって、家族の絆は何より大切なもの。理解して気持ちよく休ませてあげたほうが信頼関係の醸成には効果的です。

したがって、離れた家族たちが実家に集まってともに過ごす正月の休暇をベトナム人はとても大切にしています。旧暦に準じるため、新暦では毎年日付が変わりますが、大体1月下旬から2月上旬の1週間から10日程度がその時期にあたります。

日本は年末年始の休暇を終えて、新年の仕事が回り始めた頃合いです。毎年のことですから、この時期に重要な作業が発生しないように、また日本が年末年始で休んでいる間に、ベトナムチームは何らかの作業で手を動かしていられるように、業務内容のマネジメントが必要になります。

正月休み以外では、ベトナムの祝日は10日ほど。日本に比べれば少ないのですが、その分、休む時はしっかり休む人たち、という認識は必要でしょう。

ベトナム人エンジニアとのうまい付き合い方を知る

外国人同士ですから、人間関係のメンテナンスは、いっそう気を配るに越したことはありません。経験上気がついたベトナム人と上手に付き合うコツをいくつか紹介しておきます。

まず一つ目は、よく褒めること。

ベトナム人に限ったことではありませんが、任せた仕事がうまくできたときは、やはり大げさに褒めたほうが相手も喜びます。「すごい！」「上手だね」「速いね！」「正確でいいね」などなど、簡単なボキャブラリーを用いて、なるべく表情豊かに伝えるようにすると、伝わりやすいと思います。

外国人同士でコミュニケーションが行き詰まるのは、表情や言葉の裏にある意図が読み取りづらくて、相手が何を考えているのかがよく分からないとき。仕事をしっかりあげてくれて嬉しいときは「嬉しい」と伝えるようにすると、相手ものって、頑張ってくれるようになります。

仕事のフィードバックを「問題ないです」という簡素な言葉で済ませてしまう人がいますが、その仕事をどう思っているのか、感情が見えないと「実は不満があるのでは？」などと不安を覚えさせてしまいます。

しっかり仕事をしてくれたときはよく褒めることで、労働意欲や貢献意識の向上につながっていきます。

また、エンジニアに対して敬語は使わない方が良いです。とくに尊敬語と謙譲語を熱心に使って話をしても、彼らにとっては難しく感じます。名前も敬称略でも構いません。名前の一番右側がファーストネームになるので、例えばPHAM LE CAM VANであれば、「VAN！わかった？」で十分ですが、気が引けるなら「さん」付けも良いでしょう。「VANさんはいらっしゃいますか？」はダメです。敬語まで完全にマスターしているエンジニアの場合はともかく、外国人にとって日本語の尊敬語と謙譲語は相当難しいものです。仕事が完了したのか聞くとき、「する」「した」などの時制（現在・過去）もやや難しく、「～は終わった？」の方が誤解を生まないです。要するに、日本人と話すように話さない方が良いのです。相手に敬意を払っていないということとは違います。一般的な日本語（日本人相手に話すような日本語）を、いったん彼らにとって分かりやすい日本語に翻訳したうえで話すことが極めて重要です。どういう言い回しが彼らにとって分かりやすいか、誤解を生まないか、要領のようなものがあり、担当者はそれをマスターすると良いでしょう。

例えば、「もうちょっと寄せて！」と言いたい場合、この「寄せる」というのは、「形を似させる」という意味なのか、「距離を近づける」という意味なのか。もっと別の言い方、分かりやすい表現は何か……この辺の担当者の上手い下手は意外と大きな影響を及ぼすものです。

また、彼らの発話で聞き取りにくいことにも慣れる必要があります。CATIAのことを日本人は「キャティア」と言いますが、ベトナム人なら「カチア」のように話します。「カチア」と聞いてCATIAのことだな、とか、「カド」と聞いてCADのことだな、とわかるようになると結構です。

英語圏の人が、日本語の小さい「っ」を発音できない、逆に日本人は本来「っ」がなくても「っ」を入れてしまう、というような話と似ています。日本人も北米に行って、「ホットドッグ」と「っ」を入れて発音すると多くの場合伝わらないものです。

次に、叱ったりダメ出しをする際は、人前で行わないように気をつけてください。ベトナム人には、面子を非常に重んじる国民性もあるので、同僚の前で注意をされることを非常に嫌います。プライドを大変傷つけることになりますから、絶対にやってはいけません。

仕事へのモチベーションを大きく下げますし、強い嫌悪感を日本側に抱かせることになります。チームへの貢献意識も下がりますから、全体のパフォーマンスを大きく低下させる要因になりかねません。

メンバーに不備があって何らかの注意をしたいときはその旨をリーダーに伝え、あとの指導はリーダーに任せるのが無難でしょう。一方、リーダー自身に何か注意をしたいときは、リーダーに直接そのことを伝える必要があります。

いずれの場合も、一対一で話ができる状況をつくってから本題に入るべきです。画面越しにはなりますが、メンバーは開発ルームから退室させ、こちらも背後に人が見え隠れするような状況ではないかたちにして、話をするのが賢明です。

このようにシチュエーションには気を配るべきですが、ダメ出しをする内容自体ははっきり言ったほうがよいです。

「ここをもっとこうしてもらえると、嬉しいんだけど……」といった日本語らしい遠回しな伝え方だと、意図を汲み取ることが難しい場合があるからです。

叱るまでには至らなくても、仕事で注意を促すときのコツは、同じことをはっきり繰り返し伝えることです。こちらが何かを話した時、黙っているのは「聞いています」ではなく、「話が分からない」のサインであることもよくあります。言いたいことをいうのが目的ではなく、相手に分からせ、行動を変えることが重要。大事なことは、伝わったと分かるまで、何度も繰り返し、はっきりと言うようにするとよいでしょう。

その際は、「この仕事のこの部分はよくない。次からは、このように直して欲しい」と、シンプルな表現で明確に伝えるようにします。もともとメンタル的にはタフな人たちが多いですから、面子が脅かされていない状況であれば素直に耳を傾けてくれると思います。

ベトナム人は3回結婚式をする⁉

昨今は、部下にプライベートについて質問をすることも憚られる時代ですが、ことベトナム人に対しては、その心配はありません。むしろ、積極的に質問をしたほうが心理的な距離を縮めるのには有効だと思います。

家族の話はもちろん、お正月の過ごし方、ベトナムの風習など、好奇心の趣くままに尋ねても、たいてい喜んで教えてくれるでしょう。特に結婚に関する話題はむしろウェルカムです。

ベトナム人は結婚式が大好きで、1度の結婚で3回式を挙げることも珍しくありません。自分の実家がある街、配偶者の実家がある街、そして職場のある街と、それぞれで縁のある招待客を集めて披露宴をするのです。それくらい家族愛が強い人たちですから、多少気心が知れてきたら、配偶者や子どもについて質問をしても決して嫌がられることはありません。逆に、にこにこと話してくれることのほうが圧倒的に多いと思います。

用がなくても毎日話す

良好な人間関係は、仕事の効率を高めます。

そのためにも、開発ルームとは「毎日、顔を見て話すこと」をルーティンにしておくほうがよいでしょう。用があるときだけ連絡を取り合うのではなく、毎日決まった時間に顔を見て挨拶をする習慣にしてしまうのです。

仕事が順調で特に問題がなければ、それこそ天気や家族の話でも構いません。人には、繰り返し会う人に好意を抱く性質がありますから、しょっちゅう話をすることで気心が知れていけば、信頼関係を高め、難しいお願いにも、より前向きに取り組んでもらえるようになっていきます。

ミーティングの時間は、例えば、ベトナムのチームが朝出勤してすぐ、ということにすると、ベトナムは9時、日本は11時ごろに毎日、顔を合わせることになります。ベトナム側は、今日のＴｏＤｏを朝イチで確認してから作業に入ることができる一方、日本側の担当者は、朝イチに片付けたい仕事を終え、一段落して落ちついたところでベトナムチームと打ち合わせができる格好です。

つまり、２時間のタイムラグがお互いにとっていいタイミングを生み出すことになっているわけです。実際、ベトナムでオフショア開発を行っている企業では、そのようなやり方で毎日ミーティングの時間を取っている例はよく見かけます。夕方も、日本のほうが定時の訪れが２時間早いので、ベトナムを呼び出して指示を出してから退社すると、その指示に基づいて２時間分作業をさせることが可能になります。

時差を利用して頻繁にコミュニケーションをとることで、遠隔地であろうと進捗をしっかりウォッチしながら業務を進めていくことできるわけです。

以上、オフショア開発チームとの業務分担を円滑に実践していくために心掛けたいポイントについて、お話させていただきました。ただ、いくら準備をしていても、実際に動き出してみて初めて直面する困りごとも多々あることでしょう。

次章では、少し角度を変えて、トラブルシューティングの要領で運用のコツを考えていきましょう。オフショア開発でよく仕事が停滞する場面とその解決法について、一つずつお話しします。

ベトナムのオフショア開発ルームで働く
ベトナム人エンジニアの声をご紹介します。

▼必要な時にすぐに話して確認できるようになって欲しい
（機械部品メーカー・メンバー・男性）

「日本の会社の仕事をベトナムでできるこの働き方は、自分にとって一番良い選択肢です。家族がホーチミンにいるので、そこは離れたくありませんでしたが、ここならバイクで20分で来ることができます。前の会社でやっていた仕事も設計で、もっとレベルの高い仕事をしたいと思っていたので、今の仕事には満足しています。日本語は、ベトナムにある日本語学校センターで学び、前の会社で1年半、日本にも住んで仕事をして身に付けました。

リーダーが急に辞めて交代してしまった時は、新しい人に合わせるのが大変でしたが、それ以外の条件などでは、特に問題はありません。ただ、あえて言うなら、困ったことがあったら、すぐに相談できるとうれしいです。話せばすぐに済むことなのに、日本の担当の人がなかなか返事ができなかったりして、メールの連絡になってしまうと、時間がもったいないときがあるからです。

将来は、責任ある難しい仕事、重要な仕事をやりたいです。最初から最後まで自分でやれる仕事ができるエンジニアになりたいです。ベトナムで働き続けたいと思っていますので、海外に行きたい、という気持ちは特にありません。この職場なら、ずっと働いていれば、スキルは上がっていくと思います。全体としては、ベトナムのエンジニアの友達にも薦められる、いい職場だと思います」

▼難しくても任せてもらえて、提案できることのほうが楽しい
（菓子機械開発製造メーカー・メンバー・男性）

「菓子パンをはじめ、どら焼き、クッキーなどの焼き菓子をつくる機械（ロボット）の設計をしています。日本の担当者からメールで指示がきますので、それに従って、製造機の全体設計をリーダーに従って、ゼロからやっています。5年間、同じような仕事をしていたし、パンが好きなので、この仕事に応募しました。

機械はとても大きいので、設計する時は、菓子パン作りの工程ごとに部品の色分けをして、少しずつ進めていきます。日本からは、菓子パンのイメージと工程全体の大枠だけがきますので、細かい作り方については、こちらから提案をしています。最近では、長さが50ｍ以上の機械の設計を3年がかりで行いました。

いい機械を造るには、知識とアイデアの両方が必要です。『こんな動きで生地を加工したい』と思っても、ネジ、モーター　減速機の選択を間違えると、すべてがうまく行きません。無駄のない動きを考え、それがうまくいくようにしなければならないのです。たくさんの部品の特徴についてよく知っていなければなりませんが、特に、減速機を上手に使うのには、知識と経験が必要です。

仕事は難しいけれど楽しくて、今のところ順調です。残業も気になりません。日本語も難しいですが、Ｎ３に合格して、リーダーになることが現在の目標です」

第5章

海外エンジニアのマネジメントは難しい⁉よくあるトラブルと解決法

オフショア開発におけるコンサルティング会社の役割

オフショア開発では、顧客企業はコンサルティング会社を通して、現地に開発ルームを設置します。コンサルティング会社は、顧客企業のリクエストに応じて現地でエンジニアを集め、面接を手配して人選を助けます。さらに、選ばれたエンジニアと雇用契約を結び、開発ルームに派遣する形で常駐させます。

開発ルームに勤務するエンジニアチームに、日本から仕事を投げて、アウトプットを受け取ります。

ただし、エンジニアたちの勤怠管理やニーズのヒアリングはコンサルティング会社の仕事です。顧客企業と開発ルームの関係にギクシャクするようなことがあれば、その調整役を務めるのもコンサルティング会社の役割です。

ここまでの話を整理すると、オフショア開発ではコンサルティング会社はざっと次のような役割を担っているといえます。

・顧客企業の人材（エンジニア）ニーズや作業内容をヒアリング
・現地でエンジニアを募集
・面接の手配、人選アドバイス（スキル、性格、印象など）
・採用されたエンジニアとの雇用契約
・海外エンジニア活用に関する助言
・開発ルームの環境の構築・整備・運営（セキュリティ面を含む）
・エンジニアに就業規則を指導
・日本企業との働き方をエンジニアに伝授
・顧客企業の要望をエンジニアに伝達、指導
・（必要に応じて）エンジニアの日本語レベルアップ研修
・（必要に応じて）顧客・エンジニア間の関係改善のための調整
・（必要に応じて）退職者への対応、後任の手配

整理すると、コンサルティング会社の役割は、顧客企業と海外エンジニアが一緒に働く場所を提供し、その協働関係が良好に働くように裏から両者の要望を聞いたり助言をした

顧客・コンサルティング会社・エンジニアの関係図

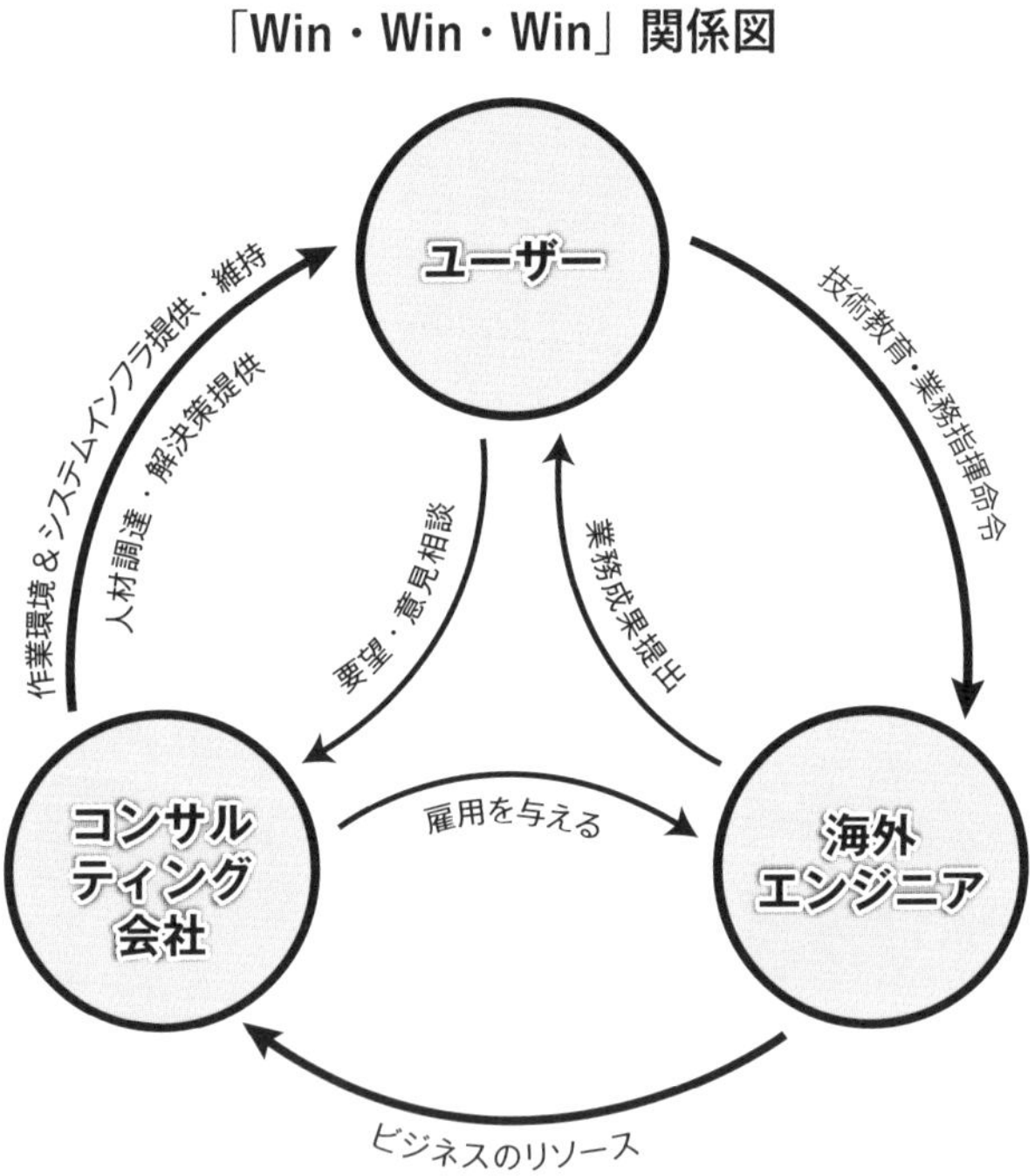

りすることというわけです。

つまり、コンサルティング会社の役割はあくまでもそうした「場を提供し、維持すること」ととらえたほうが正確かもしれません。顧客企業とエンジニアがうまく仕事をこなしていけるかどうかは、究極、双方の関係づくりにかかっています。コンサルティング会社はそのサポートをすることはできますが、それ以上のことはできないのです。

顧客企業の側に「コンサルティング会社に依頼したから、もう安心」と、あたかもレストランで出来合いの料理を待つような気持ちがあると、意欲があって優秀なエンジニアを調達することができたとしても、それによって生まれた〝場〟の可能性を活かしきることはできないでしょう。

そういう意味で、オフショア開発環境を導入したあと、その成否を握るのは畢竟《ひっきょう》、顧客企業のマネジメントとコミットメントにかかっているといえます。

そのことを理解いただいたうえで、本章では「オフショア開発環境を導入したはいいが、なかなかうまくいかない」という場合の対処について、いくつか助言を述べさせていただきたいと思います。私が見聞きした限りですが、導入した企業の声と実際に導入企業と仕事をしているエンジニアからの声に基づいてまとめました。

指示がうまく伝わらない

外国人との仕事で最初に「困った」を感じるのは、やはり「言葉がうまく通じない」「通じた気がしない」でしょう。

「言ったとおりに行動しない」＝「手を抜いている」のように受け取る人がいますが、それは大きな間違いです。言ったことが伝わっていないから相手は行動しないのであり、もしそうした状況に陥ったら、「伝え方に問題がある」と考えるべきでしょう。

こちらは日本語で、しかも自社の専門事業を話題にしているのです。自分の土俵にでん、と構えてふんぞりかえっているような姿勢では、外国人エンジニアたちは動きたくても動けません。

解決策は具体的にはいろいろありますが、考え方は一つ。外国人である相手の立場になってみることに尽きると思います。「この指示の仕方で分かりやすいだろうか？」と反芻することを心掛ければ、だんだんとコミュニケーションは改善されていくと思います。

やさしい日本語ではっきり話す

指示を伝えたはずなのに、リアクションがなく黙っている。そういうときはたいてい、「分かりません」のサインです。意思疎通では、母語話者のほうが歩み寄り、やさしく分かりやすい日本語を使うように気をつけてやる必要があります。

特に年配のエンジニアに多く見かけるのですが、日本人と同じような発音、スピード、滑舌、言葉選びでベトナム人に話しかけている人も少なくありません。

それは「英語なら少し分かります」という程度の人に、アメリカ人がネイティブの速度で話しているのと一緒。思いやりがないし、何よりその発言は「伝える」という役割を果たしていません。英語でも、少しなまりがあると簡単な単語すら聞き取れない、ということがよくあります。

日本語も同様です。教科書にない発音やイントネーション、その土地の方言、日常会話で崩れた表現などは、日本で仕事をした経験があるエンジニアでも、聞き取りづらいと感じる可能性があります。個々人の発音の癖は外国人にとっては、気になるもの。「この人はこの言葉をこんなふうに発音するんだ」と、理解するまでに時間を要する場合もあります。だから、一人のエンジニアが窓口になったほうがよい、という話もあるわけです。

特に、日本語は文末表現が豊富で、口語で崩した言い方も多いので、できればそうした表現は仕事の会話では避けたほうがいいでしょう。「～して欲しいんだけど」「～してくれる？」「～してくんない？」は、意味は同じようなものですが、教科書で勉強しているのは「～してください」とか「～してくれませんか」という言い方。だとすると、このちょっと崩した表現に引っかかって、意味を取り損ねてしまう可能性もあります。

仕事に関する話し方のコツとしては、「文末をはっきり言いきる構文にする」というのがお勧めです。例えば、手順を説明する際は「～してから、～しておいて」などと言う代わりに、「～します。次に、～します。」といった区切り方をすると、それだけで伝わりやすくなります。つまり、なるべく簡単な構文で、シンプルな文末で伝えるようにする、というわけです。

もちろん、なかには日本語がかなりうまいエンジニアもいますが、それは「当たり」に過ぎません。上手な人がいたら「ラッキー」というくらいの考え方のほうが、意思の疎通はスムーズになると思います。

コンサルティング会社では、必要に応じて日本語研修クラスを設け、独自にエンジニアをトレーニングしている場合もあります。そこで、スカイプなどで様子をのぞかせてもらうのも参考になるでしょう。外国語の勉強は通常、対象言語を用いて行われます。日本語教師が学習者に対して、どのような言葉遣いをしているのかを一度でも見ておくと、指示を伝える際、話し方でどのような部分に気をつけたらよいのか、ヒントを得られると思います。

定型表現を用いて指示を出す

図面を「3Dに直しておいて」と「3Dに起こしておいて」は、求めている作業は同じですが、「何か意味が違うのだろうか?」と外国人エンジニアを悩ませる原因になります。同じ作業であれば、必ず同じ表現を使うというルールを準備しておくと、指示と作業のやり取りがスムーズになります。つまり、「仕事を頼むとき」「ダメ出しをするとき」などの状況ごとに、自分なりの定型表現を用いるようにするのです。

「同じ作業は同じ指示の言葉で」というパターンがお互いに浸透すると、「本当に伝わったのかな?」と心配する必要がなくなります。

前章で専門用語の日本語・英語・ベトナム語の対応表を作っておいたほうがよいという

話をしましたが、その際、併せて動詞表現に関しても整理し、統一感をもたせられるようにしておくとよいでしょう。

「アソビをつくる」「刃がビビる」などの業界用語も注意が必要です。ほとんど無意識に使っているイディオム表現が、外国人にとっては「?」となることもあります。話している内容がきちんと伝わっているかどうかは、相手の表情をよく観察し、気になるときは「○○は分かりますか?」と頻繁に確認するようにしましょう。

「感想」ではなく「指示」で戻す

ベトナム人エンジニアと話をしていて、日本企業とのやりづらさについてよく言われるのが「指示が大雑把で分かりにくい」という意見です。

指示された仕事内容を終えてデータを送ると、「もっと分かりやすい図面にしてください」というフィードバックが送られてくる。しかしこれは仕事をしたエンジニアにとっては、単なる感想であって、指示ではありません。誰に分かりやすい必要があるのか、どうすれば分かりやすいのか、何も具体的な指示が書かれていなければ対応のしようがありません。

こういうケースでは、仕事を戻す側も「〝分かりやすい〟とはどういうことか?」をきちんと考え直し、いわば要件定義のように書き出してみる必要があるでしょう。

具体的には、「どこに」「どんな情報が」「どのように」記載されていることなのかを、改めて具体的に明らかにしていくことが必要になってくると思います。

あるいは、「何が足りないから分かりにくいのか?」を考えてみると、アプローチの助けになるかもしれません。

指示は細かく分解し、文書に基づいて説明する

日本の企業と仕事をするベトナム人エンジニアからは、「日本人はクオリティに厳しくて、規則に細かい」という声もよく聞かれます。ものづくりは精度が命ですから、そう思われること自体は悪いことではありません。しかし同時に「それなのに、その規則が文書になっていない」という意見もあり、これが彼らを戸惑わせ、ストレスを感じさせる原因になっているようです。

仕事を上げると厳しい注文がついて戻ってくるが、その内容が文書のどこにも書かれていない、という状況です。

ダメ出しをされたエンジニアとしては、資料やマニュアルを確認したいと思って当然で

す。ですが、その知見は担当者の頭の中にだけ蓄積されており、オープンになっていない。いかにも職人気質というところですが、これでは外部の人間に思いどおりに仕事をさせるのは、日本人でも難しいでしょう。「文書がないのにマニュアルにうるさい」という感想を抱かせてしまっているケースが意外と多いのです。

文書に基づかない指示は、その会社の正しい手順にのっとっているかどうか、外部の人間には判断できません。個人の感想や意見に基づいた指示であるかのように感じさせてしまうと、その仕事の全体像が把握しづらく、窮屈に感じさせてしまいます。最初から資料を参照して、正しい手順に従って仕事ができれば修正作業も発生していなかったかもしれず、工程をムダに感じさせる要因にもなりえます。

つまり、その都度口頭やメールで指示をするだけのやり方だと、「大きなルールの中で仕事をしている」という感覚を得づらく、指示を受ける側も場当たり的になってしまうのです。結果、指示をする側は「なかなか仕事を覚えてくれない」という不満を持つかもしれませんが、むしろ「何か伝え方に問題はないだろうか」と検証してみたほうがよいと思います。

共通して参照できるマニュアルの指示に従いながら仕事ができると、余裕が生まれるので、新しいアイデアも出やすくなります。小さなことでも何か改善のチャンスを見つけられるかもしれません。

反対に、マニュアルのない場当たり的な指示の下では、先回りして考えながら仕事をすることがやりづらく、創造的に仕事に関わることが難しくなってしまいます。

指示は省略しない

指示を出すときは、その都度すべての必要事項を伝えるようにすることも大切です。エンジニアはサボっているのではなく、指示が不十分なせいで、ただ言葉どおりの内容が上がってきているだけなのかもしれないからです。

例えば、「A→B→C→D」という順序で行う仕事を教えるとします。日本人に教えるときは、2、3度同じことをやらせて理解したことを確認したら、あとは「AからDまで、頼むね」といえば、その指示に対しても「A→B→C→D」の順序で仕事をするでしょう。

しかし、外国語で同様の指示を受けたとしたら、「今回はA→Dの順序でやれ、という意味なのだ」と受け取るかもしれません。「受けた指示をより正確にこなしたい」という気持ちから、そのようなやり方を取ってしまう可能性もありえるのです。

したがって、繰り返し同じ作業を指示する場合でも、その内容は省略せず、すべての工程を伝えることが重要です（そのためマニュアルがあると便利なのです）。

やがて、仕事に十分慣れたことを確認できたら「『A→Dをしてください』は『A→B→C→Dの作業をしてください』という意味です」と、これもまたよく確認し、そのうえで指示どおりに作業が進むかどうかを確かめるとよいでしょう。

伝える手間を早々に省こうとすると、大抵それが原因でトラブルが起こります。

専門知識にズレがないか確認する

専門分野の素養があり製造業での仕事経験もあるといっても、日本人には当たり前の知識がベトナム人には当たり前ではない、ということは珍しくありません。

例えば、JIS規格に関する知識はその典型です。日系メーカーの現地法人で仕事をしたことがあるエンジニアであれば、JIS規格については、当然よく知っていることでしょう。日本の法律についても同様で、何に気をつければよいのかをすでに無意識に行えるようになっているかもしれません。

しかし、そうでない場合、エンジニアはISO規格しか知らない、ということも珍しくありません。そもそも世界基準ではそのほうが普通でしょう。

たまたま前者の知識を持っているエンジニアを知っているからといって、後者のエンジニアを「デキない」「力がない」と見なすのは、早とちりというものです。自社の業務がどのような専門知識にのっとって組み立てられているのかは、基本的な法律の基準にまでさかのぼって確認し、必要ならば、エンジニアたちにも共有していく必要があります。

できないのではなく、知らないだけ。

外国人のエンジニアに対しては、そういう眼差しで向き合うようにすると、効果的な教え方や伝え方が少しずつ見えてくるのではないかと思います。

仕事に対するコミットメントが低い

「モチベーションが低い（ように見える）」と言い換えてもよいかも知れませんが、ベトナム人エンジニアに仕事になかなか積極的に関わってもらえない、という声もオフショア開発を導入した企業から稀に聞かれます。しかし、やる気とは「出せ」と言って都合よく出てくるものではありません。気持ちが盛り上がっていないように見えるのであれば、それは何かそのような接し方をしていることが原因と考えるべきでしょう。

長年見てきた感覚では、ベトナム人はパーソナルスペースが日本人よりも狭いようです。人と近づくことに積極的で、仕事仲間や友達、そして家族とは、常に一体感を得ることを大切にしているように見えます。夜、街を歩いていると、若い人たちがぎゅっとくっついて公園や道端の椅子に座り、語り合っているのを実によく見かけます。

人との距離感が近いというのでしょうか。

彼ら彼女らにとってそれが当たり前となると、日本人のエンジニアが「行儀よく」あるいは「礼儀正しく」接しようとすると、よそよそしく感じさせてしまうことになるかもしれません。前章でも触れましたが、「必要なときだけ連絡する」のような都合の良い接し方は、さらに疎外感や孤立感を抱かせる原因にもなりかねません。

「所属する会社が違うので」と、エンジニアたちに気を使う必要は全くありません。むしろそういう気持ちは、オフショア開発を成功に導く障害ですらあります。自分の会社で雇い入れた新しい若手中途社員と同じような感覚で声をかけて、まったく問題ありません。

呼び出しにはすぐに応じる

特に問題なのは、オフショア開発チームが話をしたいのに日本側がそれにきちんと答えていないという状況です。

画面で顔を見て話がしたいのに、「忙しい」「面倒くさい」などの理由からすぐに出ないというのは作業効率上も問題です。問い合わせに応えるまでは、向こうも作業が止まっていることを意味するのです。

エンジニアたちのコミットメントが低いのではなく、そうなるように仕向けている状況はないでしょうか。

オフショア開発ルームからのコールには、できるだけ迅速に折り返すことで、「いつも見守ってくれている」という安心感を与えるように意識することが大切です。

「手頃な仕事がなくて、指示を出せない」という理由から、連絡をせずに放置してしまうといったケースも見かけますが、これもよくありません。そういう場合でも、何か資料を読ませるとか、トレーニングになる課題を与えるなどをして、「指示／成果の報告」というコミュニケーションが絶えないようにする工夫が必要です。

「人に振る」という仕事の優先度を高める

「仕事はあるのだが、出さない（出せない）」という状況もままありますが、これもよくありません。

日本のエンジニアは、人手不足が続き過ぎて、仕事を抱えることに慣れ過ぎているのが原因でしょう。

しかし「人に頼むなら、自分がやったほうが早い」と考えて、海外チームを放置していると、彼らにも「自分たちは必要とされていない」という印象が伝わってしまいます。

オフショア開発チームを増設するとは、海外に開発リソースとなり得るサテライトオフィスを作るようなものですが、日本側の社員の中には「自分の立場が危なくなるのではないか」と考えて、サテライトオフィスに依頼したり頼ったりしないでおこうという反応も起き得ます。経営層が導入を決めても、部門の担当レベルは否定的な立場であることがあるのです。自分の半分のコストの人間が、同じ仕事を3分の2の時間で終わらせたら、恐ろしい気分になります。グローバル化とはそういうことだし、効率を上げるというのは痛みも伴います。

つまり、日本の開発室の担当者の側でも、考え方や仕事の仕方を根本から変えるという意識を持たなければなりません。

それまでは「とにかく抱えているタスクをこなしていかないと」という気持ちで、自分のことが最優先だったかも知れません。しかし、オフショア開発の体制を導入したら、「会社のパフォーマンスを上げる」ことが第一で、そのためには「オフショア開発のチームを速く育てて戦力化する」ことが重要です。上手くサテライトを使うためには、「仕事を彼らに振るのが先」と考える必要があります。

意識するかしないかはさておき、現場には、目に見えない力があります。今までと同じことを今後もずっと続けていこうとする力です。スローガンなどでは効率化や改革が叫ばれますが、実際には、昔からやっていることを何も変えたくないという保守的な力。オフショア開発の導入は、好むと好まざるを問わず、「変わらなければ生き残れない」という意識改革にもなるのです。

個々人の仕事の仕方にも踏み込んだ話になってしまいますが、実際、日本側のエンジニアが仕事を振ってくれないせいで、ベトナム側のエンジニアから「仕事がない」という相談を受けることはしばしばあります。「仕事がないのに、お金がもらえるならいいじゃないか」みたいに思うかも知れませんが、そんなのんびりした話ではありません。彼らはスキルを向上させ、エンジニアとしての自分の市場価値を高めたいと思っているので、仕事をくれない顧客企業に対しては不満を抱きやすいのです。

当然、やる気はなくなるし、役割へのコミットメントも低くなっていくでしょう。ベトナムのエンジニアと話していると、「難しい仕事が楽しい」という声がよくあがります。

彼らは別に、やさしい仕事を回して欲しい、できる仕事ばかりをやらせて欲しい、と思っているわけではないのです。むしろ、少しずつできないことにもチャレンジして、できるようになっていきたいという熱い向上心があります。

そういう気持ちをないがしろにして「渡せる仕事がないから」と、放っておくのは非常にもったいないことです。

先ほど書いたように、「やる気」は買えません。もともとそれを備えているエンジニアたちにどう動いてもらうのかを考えるのは、費用対効果を最大化するためにも、非常に重要な課題であるといえるでしょう。

連絡を密に取り合い「話す」機会を習慣化する

日本の開発室とオフショア開発ルームの間に一体感を醸成していくには、なにより「顔を見て話す」機会を増やすことが重要です。

「海外からのレスポンスが遅い」「指示どおりのものが上がってこない」といった不満を抱いている顧客企業は、やはりコミュニケーションがうまくいっていないことが多いです。

都合を合わせるのが面倒だからとか、文字のほうが確実だからなど、何かと理由を付けて日本側の担当者がやり取りの多くを済ませている場合、どうしても〝ツーカーの仲〟にはなっていきません。

「スキルがあるのだから、メールで済むはず」ではなく、やはり人間関係は育て、常にメンテナンスをする意識が大切です。

その点、オフショア開発チームとうまくいっている会社は、画面越しで顔を見て話すチャンスを定例でなくとも、かなり頻繁にあえてつくっています。

最初はメールで指示を出したとしても、それに関するやり取りの過程で必ずミーティングのアポを取り、話す機会を設けるわけです。あるいはこの流れは逆に、話をする→メールで指示を整理して送る→返信を受け、指示が伝わったことを確認する→必要ならまた話をする、というサイクルでもよいでしょう。

とにかく、不定期であっても「話す」というプロセスをやり取りのなかにしっかり組みこんでおくことで、海外チームのコミットメントを引き出しているのです。

さらに週報や月報を提出させ、仕事の文章を書くトレーニングをさせながらフィードバックを与えているような会社もあります。こういう開発ルームでは、エンジニアが急速に成長していきます。さまざまな方法で細かいトライ＆エラーを多数経験することができるので、どんどん吸収して「使いやすく」育っていってくれるのです。

物事に変更があったときは、すぐに連絡をすることも大切です。

打ち合わせをして、指示どおり予定どおりに作業をしたのに連絡なく変更があり、あとで「〜で変更があったから」と事後的に知らされるのは、「自分たちは蚊帳の外なんだな」という気持ちを抱かせます。

「あとでまとめて伝えたほうが効率がいいと思って」という言い分があるかもしれませんが、コミュニケーションに関しては、特に初期段階では効率を優先するべきではありません。コミュニケーションは「効率」よりも「効果」で考えるべきです。例えば、「メールでまとめて伝える」は、効率的かもしれませんが、十分な信頼関係がないうちは効果的ではありません。口頭で一つひとつ伝えるのは、効率的ではないかもしれませんが、信頼関係を構築する初期段階では、むしろ効果的なのです。

ということで、もし何か相手の仕事や自分の指示に対してダメ出しや訂正をしたいときは、一件からでも伝える機会を持ったほうがよいと思います。さすがに毎度は大変なので、毎日ミーティングの機会を設けるわけですが。「あとでまとめて連絡しよう」と思うよりは、「ちょっと直してもらおう」と気軽に呼び出したほうが、相手も安心するでしょう。

確かに、急いでいたり指示が複雑になりそうな場合は、上がってきた作業データを引き取って自分で修正して進めてしまうということもあるでしょう。その場合も「このように直しました」と、修正後のデータをきちんと共有し、学ばせることが大切です。

私が知る企業には、４カ月程度は資料などを通して仕事内容を覚えさせる期間とし、その後実務に入って行ったところもあります。海外のエンジニアを「うまく動かす」には、そのくらい用意をして時間をかけていかなければ、いい成果にはつながらないのです。

不満がないかよく尋ねる

日本人は、人間関係に波風が立つことを嫌って、不満があってもつい我慢してしまう傾向もありますが、ベトナムではそのような意識はあまりありません。

私たちが管理するベトナムの開発ルーム棟でも、「クーラーの効きが悪いので、もう一台入れて欲しい」などと、遠慮なく要望をあげてきます。

ただ、さすがに顧客企業に対しては「うまく伝えなければ」という思いが働くと、やりづらく感じている部分があっても切り出しにくいことがあるはずです。そこで、日本側から時々は様子を尋ねてみると、彼らが何を感じているのかを理解する良いきっかけになると思います。

「不満はありますか？」という聞き方はネガティブに響きますが、「何か希望はありますか？」と聞けば本音を言いやすいと思います。

「もっと速いパソコンが欲しい」「モニターがもう1台欲しい」といった声があがってくるかもしれませんが、いい仕事をしたいという気持ちの表れとみて笑って聞いてあげてください。もちろん、コストの都合もありますからなんでも叶えるわけには行きませんが、彼らの仕事に対する思いを知るうえではヒントにはなると思います。

希望を聞いてしまうと「できる」「できない」を答える必要がありますし、できない場合は「なぜできないか」「どうすればできるようになるか」の答えも当然期待されます。そのことに少々プレッシャーを感じるというのであれば、こういうときこそコンサルティング会社をうまく使うとよいでしょう。

批判を恐れるのではなく、より良い関係を築くために積極的に相手を知ろうとする努力が必要だと思います。

エンジニアたちは、忙しい状況は意外にウェルカムである場合が多いです。仕事がある＝スキルアップの機会が多いと捉えますから、突然過ぎるリクエストでなければ残業も苦にしない印象があります。

未来の成長ビジョンを示す

単調な仕事がどうして続くのか。それをやり続けることに、どんな意味があるのか。

オフショア開発の体制を構築するのは、中堅エンジニアを「作業」から解放することが大部分のねらいですから、オフショア開発チームにはどうしても慣れてしまえば単調に感じられる仕事をたくさん任せる形になってしまいます。

しかし、だからといってそのままでいると、やはりエンジニアたちのモチベーションは下がってしまいます。彼らもエンジニアとして成長していきたいと思っています。仕事の意味は当然として、この仕事の先には何が待っているのかをあらかじめよく説明するようにすると、納得感を得てもらえると思います。

会社の仕事を覚えてもらうには、技術的な専門性を理解してもらうまでに数カ月かかるということもあるでしょう。その間はごく基礎的な作業しかさせられないので、次第につまらなく感じるようになってしまうかもしれません。そこで、半年後はどんな仕事を任せたいのか、1年で何ができるようになっていて欲しいのかなどを前もって伝え、成長目標を持ってもらうのです。成長につながると感じれば、日々の作業への取り組みの意識が変わってくるはずです。

日本側の担当者は、同じエンジニアの先輩として「その仕事の先には何があるのか」を伝えてあげるのです。すると、しっかりこちらを見て仕事をしてくれるようになると思います。

少し脱線しますが、ベトナムが戦争を終えたのは、1975年のこと。荒廃した国土から人々が立ち上がり、法律や制度を整備し、社会を整え、経済成長の足がかりをつかみ始めたのは、２０００年に入ってようやくといった印象です。

平均年齢が31歳という若さの理由には、もちろん過去の歴史が関係しています。若いベトナム人たちは、国の未来や人生を自分たちの力で築き上げ、掴み取っていく意識が日本人よりもはるかに高いのです。

彼らが経済成長のお手本として日本に学ぶ意識が強いのは、中国に寄り掛かるのでもなく、アメリカに寄り掛かるのでもなく、独自の路線を行きたいという思いの表れであるような気がします。輝ける未来を信じ、自分の手でそれを実現しようという貪欲さは、もしかしたら、かつての日本人が抱いていた気持ちに近いかもしれません。

話を戻すと、そんなわけで、ベトナムの若者は自分たちの仕事に対して「その先に成長（未来）があるのか」を問う意識が日本人の若者よりも強いと思います。「難しい仕事が楽しい」というエンジニアが多いのは向上心の現れですし、スキルに関して「より高めたい」「上達したい」という気持ちから、「もっと資料が欲しい」「練習の機会が欲しい」という要望もよく聞かれます。

ベトナムのエンジニアが総じて意欲が高いのだとしたら、「思ったほどに効果が出ない」

のはなぜなのでしょう。

ある程度のスキルマッチングはもちろん必要ですが、その先で何か問題があるとしたら、使う側として「何か改善の余地はないだろうか」と検証したほうが良くはないでしょうか。少々口幅ったいですが、そういう意識がより幸せなオフショア開発を展開していくことにつながっていくのだと思います。

研修を企画する

コスト面だけで見れば最後の手段ということになるかもしれませんが、日本に呼び寄せて研修を企画することは、コミュニケーションを改善し、海外エンジニアたちのモチベーションを高めるうえでは非常に有効な方法です。

一体感は、共感から生まれます。

日本のエンジニアは、なぜそのような指示を出すのか。本当は何を求めているのか。ダメ出しをした本来の意図は、どこにあるのか……。

指示は具体的であるべきですが、その思いのありかを理解するには、現場を見て、肌で空気を感じることが一番です。実際、エンジニアとの関係がうまくいっている会社は、1

年に1、2回の頻度で研修を行っていることが多いです。その調子で10年以上もオフショア開発を活用している大手メーカーもありますから、事実そのほうが費用対効果が高いのです。

研修の際は、ぜひ「飲みニケーション」の機会も大切にしてください。

今の時代、日本人の若者に対しては、飲みに誘うことも憚られる始末ですが、ベトナム人に関しては気にする必要はありません。「このあと、飲みに行きましょう」と誘えば、喜んでついてくることのほうが多いと思います。（逆に、「もう一軒、行きましょう！」とハシゴで振り回されるのを覚悟したほうがよいかもしれません。）

上司と部下との距離の縮め方が「昭和な感じ」、といったら分かりやすいでしょうか。多くの経営者や部門長の方の年齢層を考えると、もしかしたら、日本人の若い社員よりも付き合いやすいかもしれません。「奥さんの写真見せて。……何歳？」と、プライベートの話題をしても喜んで答えてくれますので、話題に困ることもないでしょう。

ちなみに、お節介ながら、こういう席では自分たちのことを理解させようと説明っぽくなるよりは、相手を理解するための時間にするほうが信頼関係の醸成には効果的だと思います。

別の人材に切り替えたい・メンバーが突然辞めてしまった

編成したオフショア開発チームのメンバーが気に入らず、「別の人に替えたい」とか「チーム規模を縮小したい」といった状況になることは、可能性としてはゼロではありません。あるいは「メンバーと合わない気がする」といった感想を抱くこともありえます。

顧客企業側は面接時に候補者と会っていますが、メンバー同士は、仕事が始まり、開発ルームで初めて顔を合わせることになるので、それぞれの努力がなければ良い関係を築いていくことは難しいでしょう。

早い時期に希望があれば、対応は可能かも知れませんが、ある程度時期が過ぎてからだと、部品のように人を簡単に入れ替えるのは難しいことがあります。というのもベトナムでは、法律上、例えば新入社員の採用に関しては2カ月の試用期間↓1年間の有期雇用↓さらに1年の有期雇用↓無期雇用、というルールになっており、ベトナムの労働法では労働者が守られるため、本人都合で自分から退職する際は会社側から引き留めることはできず「どうぞどうぞ」と言うしかありません。一方、会社都合で辞めさせるときは極めて難しい（というか、できません）。できるとすれば本人と話し合いの上合意に至れば、労働契約解除合意の文書にサインしますが、高額な退職金が発生します。どうしてもエンジニアを取り替えたいという場合は、コンサルティング会社にご相談下さい。

コンサルティング会社を活用する

現場の人間関係の機微については、コンサルティング会社によく見てもらうというのが、海を隔てている以上最も現実的な対応になってくると思います。

したがって、オフショア開発体制の導入を検討している時点で、依頼を検討しているコンサルティング会社が現地エンジニア同士の人間関係にこまめに配慮を利かせているかどうかは、よく見ておく必要があるでしょう。

頻繁にイベントを設けて交流を図っているか、現地人スタッフによるヒアリングの機会を設けているか、誕生日や家族のお祝いに気を配っているか……。時に、日本の会社では過剰と思われるくらいのケアが必要な場合もあります。「この会社は、誕生日も祝ってくれないのか」となるわけですね。

特にベトナムでは、10月20日は「ベトナム女性の日」として、女性に感謝する大切な機会になっています。この日は、恋人や配偶者のみならず、家族や職場の女性、子どもがお世話になっている女性の先生などに、男性から花や小さなプレゼントを贈る習慣がありま す。

エンジニアには女性もいますから、こうした細かい心配りを疎かにしていると、その分エンジニアたちの心も離れてしまうことになるでしょう。

人は扱われたように相手を扱うものです。組織が人を大切にすれば、人も組織を大切に思います。当然、逆もしかり。コンサルティング会社が、現地のエンジニアとどのように接しているのかを見ることで、雇用のトラブルに関するリスクがどの程度抑えられるのか、多少なりとも見当をつけることができると思います。

開発ルームのメンバーが突然辞めてしまったということも、ごくまれにですが起こりえます。ですが、この対処について顧客企業になす術はありません。新たにエンジニアを調達するのはコンサルティング企業の仕事ですから、とにかくその対応を待つしかないでしょう。

もちろん、そういう事態が起こらないようにすることがベスト。離職率を下げる、ことは雇用問題における最大のテーマであり、技術系であればなおさらです。コンサルティング会社は給与・待遇・条件・福利厚生・職場環境など外枠を、オフショア開発を使う会社はコミュニケーションや仕事の面白さ・やり甲斐などの内枠を、それぞれに充実させて協力することで、もっともエンジニアが退職しにくい環境が生まれるのです。どちらか一方だけの努力では不足なのです。

はじめから高い要求水準を設定しない

「できて当たり前」と思うと、小さなミスや行き違いにも失望感を感じやすくなってしまいます。もちろん、専門知識やスキルがある人を募集するわけですが、だからといって会社のごく特殊な技術的な仕事について「それなら、これも当然できるよね」という感覚でクオリティを要求するのは、エンジニアには酷というものです。

エンジニアは、素養はあってもまだ会社のことについては何もインストールされていない状態です。「できないこと」を前提に接するようにすると、逆に「あれもできる」「これもできる」と発見の喜びのほうが大きくなると思います。

日本企業は、他社に人材の調達を依頼する場合に特に「100点満点の人」を要求しがちですが、そんなエンジニアは存在しません。「この人は合わない。辞めさせたい」とすぐに切り捨てるのではなく、先に信頼を寄せ、育てていく気持ちで接して欲しいと思います。すると、意外な能力を発見して「ラッキー!」と思えることが増えていくはずですから。実際、ベトナム人エンジニアとの関係が良好な会社は、いい意味で彼らに過剰な期待をしていません。「とりあえずこれができればOK」くらいの認識で小さな仕事を振り、「意外にちゃんとしてる!」と喜ぶのが上手なのです。

こういう会社では、オフショア開発の導入後、「意外とよかった」という感想になりやすいです。相手に対する感情が基本的に好意的になるので、一緒に仕事をするのが楽しくなっていくのです。

以上、オフショア開発の運用をスタートしたあと、どのような問題が起こり得るのかとその対処方法について目立ったものをご紹介しました。総じていえば、その多くがコミュニケーションを丁寧に行い、人間関係を良好に築く努力によって予防できるものであることが、お分かりいただけたのではないでしょうか。

「こちらは技術大国、向こうは開発途上国」のような驕《おご》った意識があると、それだけでうまくいくものも失敗に終わると思います。改めて私が言うことでもありませんが、人として相手を尊重することは、一緒に仕事をしていくうえでどんな場面でも大切なことなのです。

コラム オフショア開発・ベトナムのホンネ 5

ベトナムのオフショア開発ルーム棟を管理する
コンサルティング会社に勤めるベトナム人マネージャーの声をご紹介します。

▼最初から完璧を求めず、コミュニケーションで育てて欲しい
（オフショア開発コンサルティング企業・シニアマネージャー・女性）

「オフショア開発コンサルティング会社に所属して、ベトナムの開発拠点でシニアマネージャーをしています。ベトナムのエンジニア人材の発掘、日本企業の要望とのマッチング、彼らに対する就業ルールなどに関する教育や指導を担当しています。エンジニアは『やれること』で自分をPRしたがりますが、日本の会社とうまくやっていくためには、『やるべきこと』『やるべきでないこと』を就業規則に基づいてしっかり教えることが重要です。ベトナムの労働法についても勉強していますので、日本人の上司の相談にのったり、アドバイスをすることもあります。

私は顧客となる日本側の会社担当者と一緒に、エンジニアの面接によく同席します。担当の方はエンジニアの経験・スキルを見ていますが、私は良いマッチングにす

るために、そのエンジニアのやる気や態度を重視しています。ただお金が欲しいだけでなく、ちゃんと仕事に興味があるか。言われたことだけをやるのではなく、自立的で、自己判断に基づいて行動できる人か。チームワークを重視できる人か。自分の意見ばかり主張する人ではないか。長く働くつもりはあるか。すぐに独立したい気持ちが強過ぎないか。

そういうポイントで面接に来たエンジニアを見て、私は印象を担当の人にアドバイスします」

任せたほうが長所は出てきて活かしやすい

「エンジニアをうまく使うコツは、信頼して任せることだと思います。スキルがあっても、仕事に慣れるまでには誰でも時間がかかりますし、その間は仕事が遅くて当たり前です。そこで『日本でやったほうが早い』と考えるのではなく、うまく対応できるようになるまで、長い目で見て教育をしたほうがよいと思います。少しずつエンジニアそれぞれの長所が活かせるようになっていきますので。エンジニアとの関係が良好な会社は、このような付き合い方ができているように思います。やり方は任せて結果を評価する、というふうにしたほうが、エンジニアはやる気が出ます。

コミュニケーションは、アプリケーションでとることができますが、基本的に足りない状態になりやすいと思います。コストの都合もあると思いますが、チャンスがあれば、担当の人がベトナムに来るか、エンジニアを日本に呼ぶことを積極的にしたほうがよいと思います。オフショア開発を10年以上利用しているお客さんの会社は成功例といえますが、そういうところはトレーニングに時間をかけていて、たくさん研修を行っています。その会社でも、エンジニアに任せていたのは最初、モデリングのみでしたが、今では設計業務では日本の開発室と同じことをしています」

どんなことでも言い合える信頼関係を

「ベトナムチームがそこまで成長するには、分からないことはお互いにすぐ確認できる信頼関係が大切です。反対に、エンジニア側に遠慮の気持ちがあると、ミスしたり修正のストレスが発生したりしますので、いつでも気になることは言い合える雰囲気が大切でしょう。どんなに初歩的、基本的なことでも『分かりません。もう一度、教えてください』とエンジニアが言えるような関係です。技術の世界でも、経験の仕方が異なるので、日本にとっては当たり前でもベトナムではそうではない、ということは、たくさんありますから。

少なくとも週3回はテレビ会議をして、困っていることはシェアするようにするとよいと思います

日本の会社では、エンジニアを探すとき、100%採用条件に合っていないと「このエンジニアではダメ」と思ってしまう方が多いですね。でも、基礎的な知識やスキルがあってやる気がある人が見つかったので、説得して採用してもらったらうまくいった、ということもよくあります。仕事をしてみると、『経歴から判断してCADしかできないと思っていたけれど、解析もやらせてみたらできた』みたいなことは、珍しくないです。『とりあえず、この人で』というくらいで、エンジニアにあまり期待をかけ過ぎないほうがうまくいきやすいのかもしれません」

日本側との気持ちのすれ違いのことで言うと、日本の会社は技術はすごいけれど、厳しくて細かいという印象をエンジニアに持たれてしまうことも多いようです。書面になっている規則は少ないのに、書いていないルールが厳しいことが多いからです。ベトナムのエンジニアはどちらかというと、細かい規則に従うよりも、新しいアイデアにエネルギーを使いたいと思っている人が多いので、そこの考え方の違いは理解しておいたほうがよいかもしれません。『マニュアルどおりにして欲しい』という指示が多い日本の会社からすると、規則を軽視しているように見えますが、そうではなく、

自分のアイデアを入れたい、という気持ちが強いのです」

仲間との交流を好み、仕事より家族を優先するのがベトナム流

「ベトナム人は、職場の仲間との交流の機会を重視するので、開発棟で一斉に休める休憩時間がつくれたらいいかもしれないと思っています。サッカー大会や社員旅行、忘年会などのイベントは行っていますが、日頃から社員同士が仲良くすることで、職場への満足度も高くなり、生産性が向上するでしょう。

また、ベトナム人は、お正月や夏休みは必ず帰省します。バスで10時間かけてでも、実家の家族には必ず会いに帰ります。私たちは、それほど家族を思う気持ちが強いのです。

日本なら、親の病気で早退する人は少ないと思いますが、それは「仕事がないと人生が終わる」と思っている人が多いからではないでしょうか。この点、ベトナム人には、家族が一番大事です。どんなに給料がいい仕事のオファーがもらえても、職場が遠いと、「家族の近くで働きたい」という理由で断ることは珍しくありません。これはお金の問題でも、経験、やりがいの問題でもありません。『家族が一番、仕事が二番』というのは、動かせない価値観なのです。

家族のことを理由に休んだり早退したりすると、日本人なら『え？』と思うことがあるかもしれませんが、ベトナム人はベトナム人で『精神的にも安定した状態で仕事を続けていきたい』と思っています。このような考え方の違いを知ってもらえたら、お互いにもっといい仕事の関係がつくっていけるのではないかと思います」

第6章

導入前の準備から実施後の効果までオフショア開発の実践事例

事例1

「仮想お隣部屋」環境でコミュニケーションの不安を解消「割安」実感で設計環境の増設を実現

――株式会社プレテック　代表取締役社長 天野 裕

【会社概要】

商号：株式会社プレテック
会社設立：1982年
本社所在地：東京都府中市
資本金：2億9400万円（2019年9月現在）
代表取締役：天野 裕
社員数：74名（2019年9月）
主な事業内容：装置事業（半導体ウェハー業界、フォトマスク業界、ディスク業界およびレンズ業界の製造ラインに対応した各種装置の開発・設計・製造・販売・メンテナンス）、機器事業（洗浄装置に搭載する、メガソニック洗浄機器等の開発・設計・製造・販売）

オフショア開発の導入：2018年3月～

業界は好況なのに設計技術者が足りない！

弊社は、簡単にいえば、産業用装置メーカーです。具体的には、各種業界に向けた精密洗浄装置・機器の設計・製造・販売です。そのどれもがお客様の製造ラインや製品に適合するように、ご要望に合わせた仕様に基づき設計製造される「一品もの」です。お客様のニーズに合わせて、細かな配慮を施した製品を求められるため、規格品を開発・製造・販売するメーカーに比べて、製品1台あたりの設計工数比率の高いことが特徴です。

このような事業においては、弊社のノウハウを熟知した設計技術者の存在が、重要なカギを握ります。優秀な設計技術者の人員を十分に確保していなければ、お客様に対して柔軟かつ迅速な対応が難しくなってしまうからです。

しかし、多くのメーカー同様、弊社でも長年人手不足に悩まされており、近年顕著になっていました。数年前に半導体市場が好況を見せたため、業績は上向いたものの、設計技術者のマンパワーはますます不足気味。それが明らかにボトルネックとなり、「ここが解決できれば、一気に業績が伸ばせるのに……」というもどかしさは募るばかりでした。

こうした場合、派遣業者などを利用したアウトソーシングによって、設計技術者を確保することが通例でしょう。しかし、業界の活況が急だったこともあり、弊社のような中小企業には、その方法での解決は難しいことでした。

少子化などで若い働き手が少なくなっているうえ、理系であっても製造業を志向しない若者が増加傾向にあります。製造業を志向する奇特な若者は当然のように、大手企業に流れていってしまうのです。

そんな時、たまたま訪問した日頃懇意にさせていただいている九州の製造会社が、同じような人材確保の悩みから、ベトナムを拠点にしたオフショア開発を検討していることを聞きました。その会社では慎重に検討している最中でしたが、私は「これだ！」と思いました。そこで、帰社するなり、大急ぎで紹介していただいたオフショア開発体制を支援するコンサルティング会社に連絡をとり、導入を進めることにしたのです。

不安だらけの準備。期待したリーダーが急に辞退して……

リモート環境でベトナム人と仕事をするということで、もちろん不安はたくさんありました。

日本人同士でも、遠隔地同士での仕事のやり取りが適切にできるのかどうかは、蓋を開けてみるまでは分からないものです。それが今回の相手は外国人です。そもそも日本語での仕事は可能なのか？　N2、N3などという日本語能力資格のレベルを聞いても、それがどのくらいなのか、私にはさっぱり分かりませんでした。会社として、外国人のチームを体制に組み込むこと自体、初めてだったからです。

オフショア開発というアイデアに魅力を感じ、強い期待感と好奇心から導入に動いた私ですが、当然ながら、失敗した場合に備え、特にコスト面でのリスクを小さく抑えたいと思いました。コンサルティング会社からは、導入から「最低5年間は、使い続けて欲しい」という要望を受けましたが、それは難しいと私は答えました。オフショア開発は、長く使えば使うだけ、どんどん便利になっていくというのは、確かにそのとおりでしょう。現地技術者たちのモチベーション維持や技術の向上のほか、コミュニケーションを重ねれば、分かり合える範囲が広く深くなっていくのですから。

しかし、100％成功するとは言い切れないし、半導体業界の好況もそこまで続くか分からない。そこで交渉の結果、3年間の導入という契約でスタートさせてもらったのです。もちろん、うまくいったら契約を更新する、という前提です。こちらとしては、お試しになるので、本音を言えば、最初は1年間、あるいは2年間といったより短い期間での契約ができれば嬉しかったのですが、ベトナム側での募集事情や労働法などの関係もあり、今回は「3年間」を落とし所にさせてもらいました。

言ってみれば、3年間の契約は、私にとって「ダメだったら、更新しなければいいや」と思いながら投資できるギリギリのラインだったわけです。

私がコンサルティング会社にコンタクトを取ったのは2017年の末。そこからベトナムの労働市場に向けて募集をかけてもらい、翌年の1月には面接の運びとなり、役員をベトナムに送り出しました。

そこで15人ほどの候補の中から、スキルや経験、意欲を審査し、リーダー1人、メンバー2人を無事選抜。これで2カ月後には開発ルームでの業務がスタートできるはず、でした。

しかし、事はそう簡単には運びませんでした。

いよいよ2日後に迫るベトナム開所式に向け、明日は私自身が渡航しようというその日、ベトナムチームのリーダーから、一本の電話が開発ルームの管理オフィスにかかってきたのです。それは「父が病気になったので、明後日は仕事には行けない」という内容でした。

コンサルティング会社の担当者によれば、これはベトナム流の「やっぱり辞めます」の意味であるとのこと。おそらく、何らかの理由で家族が反対し、彼もその意見に従ったのではないか、とのことでした。ベトナムでは、仕事よりも家族の優先度がはるかに高いと事前に聞いていましたが、まさかここまでとは、と驚いたものです。

しかし、もう時間がありません。リーダー不在では、仕事をスタートできるはずもありません。

急遽、コンサルティング会社に代替候補の人材を集めてもらい、なんとか開所予定日にリーダー人材選抜の面接を行うことができました。

雲行きが怪しくなってきたオフショア開発体制づくりでしたが、このあとに大逆転が待っていました。なんと、元々最初の面接でダントツに高い評価を受けながら辞退してしまった最高のリーダー候補を獲得できたのです。

彼は10年間、大阪のメーカーで働いた経験があり、日本人女性と結婚、お子さんもいます。ご家庭内での会話はすべて日本語だというだけあって、日本語でのやり取りはまったく問題なく、専門分野でのやり取りも、ほとんど不安を感じませんでした。昨今の日本人の若者より正確な日本語を話します。これほど日本に馴染みのある人と出会えるのかと、びっくりしたくらいです。彼を再面接に引っ張り出してくれたコンサルティング会社に拍手です。彼が以前の面接で辞退した理由は通勤時間の長さです。交通渋滞の激しい現地では、自宅から職場までバイクでも1時間以上かかるとのこと。再面接をしたところで、通勤時間が縮まるはずもありません。交渉は難航しました。ですが、再び現れたからには、彼を絶対に逃すわけにはいきません。「通勤に時間がかかるなら、その時間を実働時間から減らしても構わない」、とまで譲歩しました。

こちらの気持ちが伝わったのか、なんとか最終的にはＯＫをもらうことができたのです。実際に仕事が始まってみると、彼が実働時間を短縮して通勤時間を優先することはありませんでした。もしかしたら、こちらの熱意を意気に感じてくれたのかもしれません。

日本語の操作画面を教え、テレビ会議システムを導入

ベトナム開発チームに任せているのは、CADアプリケーションを使った機械設計業務です。それが一般的になじみの薄い独特の2次元CADであるため、彼らにはまず、そのアプリケーションの使い方を学習してもらいました。操作には若干の日本語理解が必要なため、まずはその扱いに慣れる必要があったのです。

コンサルティング会社が提供したWeb会議のツールは、必要なときだけ同じ図面を見ながら行う一対一の打ち合わせには強力ですが、同僚という気持ちにはなりづらい側面があります。一対一の打ち合わせだと、どうしても日本語が上手なリーダーとのみの打ち合わせになってしまいがちで、ほかのメンバー2人が私たちから取り残された感覚になってしまうのも好ましくありませんでした。

そこで、ベトナムの開発ルームと日本の設計室にテレビ会議システムを導入しました。モニターを通して常時お互いの姿が見え、声が届くようにしました。ドラえもんの「どこでもドア」とまではいきませんが、いわば「仮想お隣部屋」です。これは彼らの仕事ぶり

に目を光らせるためではなく、お互いの距離感を縮め、「隣にいる」という感覚で仕事をしてもらいたいと思ったからです。

朝、お互いにそのシステムを起動したら、何千キロも離れた場所にいる双方の技術者は「おはよう」「おはよう！」と挨拶を交わし仕事を始めます。メンバー2人は最初、日本語をほとんど話しませんでしたが、たどたどしくも「おはようございます」と挨拶をしてくれるようになりました。こうして日本語を覚えようと努力している様子が見えると、こちらも仕事で一緒に成長していきたいという気持ちが高まります。

この環境のおかげで、数カ月後に研修に来日してもらった時も、スムーズに言葉を交わすことができました。私も東南アジアに出張がある際は、なるべく開発ルームに立ち寄り、食事をともにする機会を設けるなどしています。人間関係の構築に手間を惜しまないことは、オフショア開発をスムーズに活用するうえで鉄則といってもよいかもしれません。

そして、一緒に働いてみると、ベトナム人は、私たち日本人にとって、非常に付き合いやすい外国人であることがよく分かりました。彼らは「飲みニケーション」が大好きで、そういう席ではとても気持ちよく、自分のこと、家族のことを話してくれます。昨今、日本人の若い世代に対しては、仕事上がりに一杯誘うのにも非常に気を使いますし、同席してもプライベートな質問は憚られます。しかし、彼らに対しては、そうした気遣いはあまり必要ありません。

ときには「もう一軒行きましょう！」と引き回されて、こちらが参ってしまうこともあるのですが……。いわゆる「昭和な付き合い」こそが、彼らにとっては同僚との距離を縮めるもってこいのやり方のようです。これは50歳代以上の経営者や管理者にとっては、ある種の朗報ではないでしょうか。

ミスや間違いを叱る際も、はっきり言われることを彼らは気にしません。気を使って遠回しに注意すると、かえって分かりづらいため、ダメなものはダメと、ずばり指摘したほうが仕事はスムーズに進む、というのも助かります。ただし、面子を気にする国民性があるため、人前で注意することには、日本人以上に気を配る必要がありますが。

働きぶりは日本人と遜色なし。人材不足のストレスが解消

オフショア開発の体制を導入して2年近くが経ちますが、今のところ大きなトラブルも

なく、おおむね順調といってよいでしょう。ベトナムチームのメンバーは、設計技術者としても優秀で、その実力は日本人の設計技術者と比較しても、まったく遜色がありません。調整が可能なら、あと2人ほど増やしたいとさえ、考えています。

強いて課題を挙げるとすれば、それは日本側の受け入れ対応にありました。日本側では、ベトナムチームと専属でコミュニケーションをする担当者をコーディネーターに据えました。日本の設計技術者たちは、ベトナムに手伝って欲しい作業が発生したら、そのコーディネーターに伝え、コーディネーターを通してベトナムのエンジニアを動かす、という形にしていたのです。

しかし、導入当初は、ベトナムチームに仕事を回す人がなかなか現れず、思ったほどスムーズには稼働しませんでした。その理由の一つには、設計技術者という人種は「自分でやりたい」という気持ちが強いせいか、人に仕事を依頼するのが苦手だということです。さらに、実際に仕事を依頼する際は、ベトナム側が慣れるまでは丁寧に指示をしなければならないため、この手間を敬遠してしまうのです。使用するファイルの場所や作業の内容などの詳細な指示書を作っていると、それだけで1、2時間は優に超えてしまうので、「それなら自分でやろう」というふうに考えてしまいがちなのです。

その意味で、オフショア開発体制を十分活かすには、ベトナム側がこちらの仕事に慣れることだけでなく、日本側の設計技術者が仕事を依頼することに慣れることも重要だと思います。この点を克服するために、通信やセキュリティの設定を柔軟に調整し、指示書に添付しなくても必要なファイルを直接ベトナムから日本のサーバーにアクセスできるような環境が望まれます。

メールやウェブ閲覧、ファイル共有など、あらゆる面でガードをかけてしまうと、セキュリティ上は安心ですが、やり取りに手間がかかってしまい、効率が落ちてしまいます。企業や業務内容のニーズに合わせて、細かく調整できるようになっていると、業務効率が向上すると思います。

一方の収穫ですが、オフショア開発が軌道に乗ることで、トータルの人件費は削減された印象です。日本での増員の場合と費用の計上方法が異なるために正確に比較できませんが、今のところ、2、3割削減かと感じています。

何より「人材が足りている」という安心感を得られたことが、経営者としては大きいです。ずっとのしかかっていた重い肩の荷が少しだけ下りてほっとした気持ちです。

お客様から引き合いがあった際、「その納期で受けられるだろうか」と判断に迷うことは、以前に比べてずいぶん少なくなりました。キャパシティへの不安が解消されたことで、私自身にも余裕が生まれ、新しい成長戦略の策定などにも、より意欲的に取り組めるようになっています。

今後、ベトナムチームには、加工図作成だけでなく、構想図から手掛ける仕事も任せたいと思っています。そのための研修も積極的に行い、より会社としての対応力に厚みを増していくつもりです。

オフショア開発の体制は、「導入すればうまくいく」というほど簡単なものではないでしょう。分かり合う努力が必要だし、距離を縮め、小さなすれ違いを一つずつ解消していく手間も掛ける必要があります。

ただ、弊社の場合、その甲斐あって、仕事がスムーズに回り、ベトナム人技術者のポテンシャルの高さを確かに感じることができました。もっと彼らを活かすことで、業績を伸ばす道がないか、これからも積極的に探っていきたいと思っています。

事例2

ベトナムオフショア開発はサテライトオフィスと商圏拡大の拠点に。権限委譲でサプライチェーン構築を任せる

——オフィス家具メーカー開発部門 責任者（匿名）

【会社概要】

商号：非公開
会社設立：1900年代中盤
本社所在地：甲信越地方
資本金：20億円超
代表取締役：非公開
社員数：数百名規模
主な事業内容：オフィス家具等の設計、製造、販売
オフショア開発の導入：2016年9月〜

中国の人件費が上昇するなか、グローバル調達の新たな選択肢に浮上

当社は、オフィス家具の設計、製造を行う地方のメーカーです。開発業務は長年、慢性的な工数不足に悩まされており、その中でリードタイム短縮というミッションが常に課せられています。そして小手先の対策では限界がきており、開発プロセス自体を変革する必要性を感じています。また併せて優秀な人材の確保も必要となりますが、当社のような地方ではそれが非常に難しい状況です。

さらに、製品のコスト競争がますます厳しくなるなか、グローバル調達による中国、台湾からの資材仕入れにも限界が見え始めてきています。特に中国では、上海をはじめとした流通の便の良い東部エリアは物価も人件費もどんどん上昇しており、近い将来、コストメリットが消失することは目に見えています。いわゆる「チャイナ・プラスワン」として、当社は、どの道を選ぶべきなのか、模索する日々が続いていました。

ひたすら悩んでいた時に偶然、知ったのがベトナムでのオフショア開発という新しい開発手法です。ベトナム人は真面目で勤勉と聞いていたし、資源がないので人材を活用した

ビジネスに力を入れているとのことで、ずっと気にはなっていたのです。

私はその話を聞いて、すぐに「やりたい」と思いました。まずは現場を見るべく、コンサルティング会社の手配と案内で1ヶ月後には初めてのベトナムへ。そこで開発ルームの環境や通信、セキュリティのシステムなどを自分の目で確かめました。

私たちがかなり乗り気だったこともあり、この機会に合わせて採用を希望するエンジニアと面接まで行うことができました。実際にベトナム人と対面した第一印象は、確かに人柄がよく、優しさがあるということ。そして、「日本語がしっかり話せる人が意外に多い」という印象でした。我々は、なかでも若くて優秀な三人（ユンさん、タンさん、コンさん）を、その場で選ばせてもらいました。面接前は即戦力を重視した人選をするつもりでしたが、経験よりは彼らの持つポテンシャルの高さに惹かれていました。

意欲的で伸びしろが広い！　迷わず契約を更新

オフショア開発体制の導入は、全社的な動きではなく、我々の開発部門独自の取り組みでした。上層部に根回しをしていなかったわけではありませんが、社内的にはいわば、私の独断で突っ走ったような格好にもみえていたことでしょう。

「これで問題はクリアできる！」という直感はありましたが、正直言って具体的にはノープラン。三人体制の開発ルームをベトナムに設置して、彼らにどんな仕事を任せるのか、どんなふうに仕事になじんでもらい、当社ならではのスキルを上げていってもらうのか。そういった段取りについては、まったく考えていませんでした。

そこで私は、準備期間に改めてベトナムに飛び、エンジニアたちとディスカッションをし、何なら任せることができそうか、お互いに納得のいく仕事内容を探ることにしました。そこで最初は、工数はかかるが定型的な設計業務を担当してもらうことにしました。３次元データを２次元化する作業です。こちらとしては、この仕事を通して当社の製品の特徴や設計に関する考え方を学んでもらうねらいです。

また、彼らのモチベーション維持に関しても、実は不安がありました。製品の性質上、業務の繁閑にムラがあるため、閑散期にこの増設した開発ルームに十分な仕事を出せるかどうか未知数だったのです。

ベトナム人の若いエンジニアは向上心が高く、スキルアップできて自分の市場価値が上がるのならば、忙しいことは気にしない、と聞いていました。しかし逆に、仕事が少な過ぎて「ここでは成長できない」と思われてしまえば、優秀な人ほどやる気をなくし、去っていってしまうことがあるそうなのです。

ただ、こうした不安は、実際にオフショア開発をスタートしてみると、当社の場合、杞憂に終わりました。

というのも、まず、ベトナムのエンジニアは非常に飲み込みが早い。社内の設計担当者一人を、ベトナム開発ルームの窓口にして、担当者経由で作業をどんどん頼んでいく体制にしましたが、3次元データの図面化作業は驚くほど早く、スタート当初から非常に助かりました。このレベルの仕事であれば、コミュニケーションの行き違いもほとんどなく、メール、スカイプなどを使って、すいすい仕事が進みます。

すぐにこの作業には慣れたので、突発的な設計業務を振ってみたところ、これも難なくクリア。日常的にOJTで仕事を学んでもらう機会は設けづらいので、担当者がベトナムの開発ルームを訪問し、現地で勉強会を年に2、3回行う形にしているのですが、そのおかげでどんどんレベルアップし、現在はCAEツールを利用して部品の強度などをシミュレーションする解析業務も任せることができるようになりました。

私がベトナムでのオフショア開発を決めた時に作りたかったのは、単に下請けのように作業を代行してもらう場ではありません。同じ開発チームの一部が別の最適な場所で活動している、いわゆる「サテライトオフィス」でした。今も日々のやり取りは、元請け・下請けといったビジネスライクなものではなく、疑問や問題もフランクに時間差を感じることなく解決できています。

当社の他部門からの評判も上々で、体制が定着すると、別の製品を扱う部署でも興味を示す人が増えてきました。このままニーズが膨らめば、さらに増設することも十分考えられるほどの状況です。

扱う製品の点数や求められる品質の難易度は毎年変わるため、導入効果を経年比較できる数値として表現することは難しいのですが、間接業務は明らかに効率化されています。部門全体における総残業時間や総労働時間は微減程度ですが、残業が多いスタッフと少ないスタッフとの労働時間の差は、少しずつ縮まってきています。つまり、何らかの理由でそれまで作業が集中していたエンジニアの負担が、オフショア開発の導入によって、少しずつ緩和されているというわけです。

契約期間は3年間でしたが、迷わず更新し、ベトナムのエンジニアたちには引き続き当社の仕事をしてもらうことを決めました。三人とも教えれば教えるほど覚えるし、伸びしろがとても広い。真摯で努力家で、このまま手放すのはもったいないと、心底そう思えたからです。

社名入りの名刺を渡し、現地のサプライチェーン構築を任せる

仕事のレベルを上げていくだけでなく、仕事の分野を広げることにも彼らは意欲的でした。三人はエンジニアとして採用したのですが、みんな責任ある仕事をしたいという思いが強く、ベトナム開発ルームの機能が日本での設計プロセス改革に留まらない展開を見せ始めたのです。具体的には、彼らは現地の部品サプライヤーを開拓し、現地での生産・販売の足がかりにまでなってくれました。

「任せ過ぎでは？　リスクが大きいのでは？」と思う向きもあるかもしれませんが、私たちが出会ったエンジニアにこれほどのポテンシャルがあるのなら、現地の部品メーカーも同様なはずです。彼らが日本のメーカーに対して友好的でビジネスに意欲的なことは、会えば強く肌で感じることができます。私は、エンジニア三人に当社の社名とロゴの入った名刺を支給し、サプライヤーの発掘を任せました。

三人は、リーダーを中心に、この任務にも、期待した以上に熱心に取り組んでくれています。知識も人脈も増え、開発スキル向上にはもってこいの仕事であるうえ、母国の産業発展にも貢献できる点も彼らの心に火をつけているようです。そしてサプライヤーでの検品やデリバリーのプランも、彼らが立てたものをこちらでチェックバックするような形にすることで、三人とも急速に成長していきました。それと並行して、仕事に対するコミットメントが強くなっていったこともまた、我々にとっては喜ばしいことでした。

ある時、彼らの開拓によって取引が始まった部品メーカーとの仕事で、品質や納期に対する感覚の違いから、指定の部品の発送が間に合わないかもしれないという事態が生じたことがありました。そこで、彼らは自ら現場に駆け付け、取引先の担当者にこの仕事の重要性を訴え、検品や積み込みなど、現場でできることを手伝ってくれたのです。

納期に遅れて損をするのは当社です。本来、派遣社員の肩書きの彼らには、なんら不利益はありません。しかし、そこで彼らは当社の利益代弁者として取引先と向き合ってくれました。当社が求めるクオリティをベトナムの部品メーカーに説いて分からせる、という役割を率先して果たしてくれたのです。

仕事に納得をすれば、しかるべき責任感を発揮してくれるというベトナム人気質は、そのとおりでした。仲間として動いてくれたことを嬉しく思い、私は彼らにますます信頼を寄せるようになりました。

２０１９年の段階で開拓した部品サプライヤーは４社といったところです。この数字が多いか少ないかは考え方次第ですが、少なくともベトナムでオフショア開発を始めていなければゼロだったのですから、はっきり言って、当社とすれば儲けもの以外のなにものでもありません。

しかも、サプライチェーンや販路の拡大を目指して当社が自力でベトナムに拠点を築き上げようと思ったら、時間もコストも労力も、何十倍とかかっていたはずです。それがこのようなお膳立てを活用することで一気に展開し始めたのですから、私の直感は大正解だったといえるでしょう。

それには、彼らに対してはじめのうちから「設計以外のこともやってもらうよ」と告げていたことも、よかったのかもしれません。三人とも独立心が強く、マネジメントにも関心が高かったこともあり、「今の仕事を覚えれば、次に進める」という期待感が強かったのでしょう。こちらとしても、うまく課題を与えることができ、オールラウンドプレイヤーに成長してもらえる道が見えてきました。会社は業績拡大へ、エンジニアたちはスキルアップへという、両者が満足する関係を今のところ構築できているのではないかと思います。

実働時間をより柔軟にすれば業務の連携はさらに効果的になる

全体としては非常にうまく回っているオフショア開発ですが、それでも繁閑での業務量のムラはまだ残っています。今後はこれをより合理的に解消していくのが課題といえるでしょう。

アイデアとしては、2時間の時差に加え、フレックス出勤やシフト制出勤を可能にすることで、日本側との作業分担をより効率化させていくといったアプローチがありえるでしょう。契約や運営上、クリアすべき課題はあるでしょうが、もしそこまで柔軟な活用が可能になれば、日本ーベトナム間での連携はさらに効果的になっていくはずです。

また、これは当社の問題でもありますが、設計業務をアウトソーシングに頼ることに対して、いまだに躊躇や罪悪感のようなものを感じている国内メンバーもいるので、そこを解消していくことも必要でしょう。設計ノウハウはメーカーにとって、確かに競争力の源泉ですが、だからといって、国内のエンジニアがチャレンジのない仕事を握りしめ続けているようでは、成長がありません。「自分ができることは、自分でやる」ではなくて、「自分ができることは、人に任せる（教える）」という方向にエンジニアたちの考え方を変えていく必要があります。「自分ができる『から』自分でやる」ではなく、「自分ができる『なら』もう自分でやる必要はない。何か別の新しいことをやろう」というふうに、発想の方向を変えていくべきなのです。

エンジニアには、気質として、身に染みついたやり方を変えることを嫌う側面もありますが、この点については、日本側の開発陣こそ、柔軟に対応していかなければいけないと考えています。

今後の展望としては、ベトナムチームの開拓意欲に便乗して、近い将来、ベトナムのオフィス発でものづくりを実現したいと思っています。これまでは、ベトナムに取引を広げるといっても、その製品企画は日本主導であり、主に日本市場に向けたものでした。それをやがては、ベトナムのニーズに合わせた、ベトナム市場向けの製品を彼ら発信で企画・設計し、販売までもっていければ、と願っています。少子化による人口減少もあり、日本の内需市場は飽和状態といえます。ベトナム、インドネシア、フィリピンといった、今後成長が期待される東南アジア各国や、あるいは中国方面へ販路を拡げるきっかけを、このオフショア開発ルームからつかむことができれば、と思っています。

ベトナムのオフショア開発チームの活かし方は、経営者や管理者の考え方次第でしょう。下請け感覚で「作業スタッフを場所付きで増やせれば十分」でもよいと思いますが、それだけではもったいないと思います。事実、私たちが出会ったエンジニアたちは皆、学ぶことに貪欲です。「わが社のノウハウだから」などと、出し惜しみして教え渋るよりは、どんどん知識も技術も教えたほうが、彼らも成長するし、こちらにも余白が生まれ、新しい動きが可能になってくるはずです。彼らの成長意欲を信頼し、要求レベルを少しずつ上げていくことがお互いの向上に繋がるポイントだと思います。

もちろん国が違いますから、文化による考え方、感じ方の違いはあります。しかし、どれも「話せば分かる」範囲のもので、仕事の障害になるようなものではありませんでした。

外国人との仕事が未経験の企業でも、ベトナム人とであれば、さほど滞りなく第一歩を踏み出し、軌道に乗せることが可能だと思います。仲間として尊重し、信頼して任せれば、彼らはきっと応えてくれます。私自身、日々の業務を通して、そのことをいつも実感しています。

事例3

ベトナム人コントローラーを日本側オフィスに配置。指示・指導を任せ、日本側の要望の機微を現地に学ばせる

――日立建機株式会社実験解析評価センタ　前センタ長　田村 和久

【会社概要】

商号：日立建機株式会社
会社設立：1970年
本社所在地：東京都台東区
資本金：815億7659万円
代表執行役　執行役社長：平野 耕太郎
社員数：2万4591名（連結）、4341名（単独）（2019年現在）
主な事業内容：建設機械・運搬機械および環境関連製品等の製造・販売・レンタル・

アフターサービス
オフショア開発の導入：2013年9月～

ベトナム人のコントローラーを日本側の窓口に置く

当社は、建設機械などの開発の際、質の良いシミュレーションデータが大量に必要となります。そのためのエンジニアはずっと足りない状態で、「何か良い方法はないか」と模索していました。元々、海外人材の活用には積極的なこともあり、中国、インド、ベトナム出身の派遣エンジニアはすでに社内にいたのですが、それではまかないきれない部分もかなり多かったのです。

その中の一人、ベトナム出身のホンさんは、すでに当社で11年以上も働く優秀なエンジニアでした。彼を派遣するコンサルティング会社の提案もあり、ベトナムでのオフショア開発体制の構築に乗り出したわけです。2019年末の段階で、導入からすでに5年以上経過しており、契約更新も喜んで行いました。

導入にあたり当初感じていた不安は二つ。一つは、現地のセキュリティは問題ないか。

一棟のビルに複数の企業の開発ルームが並び、そこに毎日大勢のエンジニアが通ってくる職場環境です。デジタル環境上のみならず、人の行き来から情報漏洩のリスクはないか、これは十分に確認をしました。

もう一つは、内部的な話ですが、会社としてこのような外部作業環境を構築することが許されるのか、ということ。遠隔地の開発ルームを利用する体制は、実は会社としては、国内ですでに例があったのですが、海外にそのような拠点を持つのは初めてでした。国内と違って専用回線が使えないため、セキュリティ上の課題をクリアできるかどうか、懸念があったのです。

といっても、人件費抑制効果もある海外での作業拠点構築を自社でゼロから行うのは、時間もコストもかかり過ぎます。先述のホンさんが、仕事ができる人だったこともあり、ベトナム人エンジニアをさらに活用することには特に抵抗はありませんでした。そこで、セキュリティについても十分確認したうえで、彼を日本側の窓口にし、ベトナムにオフショア開発ルームを設置するという形を採用することとしました。

契約更新をしたと述べたとおり、このやり方は当初から非常に快適でした。

この体制だと、日本人のエンジニアたちは、すでに慣れ親しんだ日本語が達者なベトナム人のホンさんに業務を振るだけでよいのです。彼がコントローラーとなって、その業務をベトナム現地のチームに消化させます。コントローラーは、日本にいて職場の様子をリアルに目撃しているしているため、仕事の修正をして欲しい場合でも、細かい機微を理解して、日本人が求める内容にしっかり寄せるようベトナム人エンジニアに指示や指導をしてくれるのです。

ベトナム側のエンジニアに対しては、募集の際、「ベトナムで働き続けたい人。日本で就職したいとは考えていない人」という条件を付けさせてもらいましたが、それでもエンジニアたちは優秀で飲み込みが早く、与える仕事のレベルも順調に上げていくことができました。現在では、解析業務のほか、ＶＲのデータを作成するレンダリングの仕事も任せられるようになってきています。エンジニアたちの定着率が高いのも、大変助かっています。

募集の際、15人ほどの希望者と面接をしましたが、どの人もこちらが求めた水準以上で、選びがいがありました。ベトナムに限らず、こうした機会に応募してくる東南アジアの人材といえば、かつては「お金がもらえるなら、仕事は何でもいい。金額は高いほどいい」という人も多かった印象ですが、今では多くの人が「その仕事は面白いのか？」「自分が成長できるのか？」にも、強い関心を持っていることが分かりました。

つまり、仕事にやりがいを感じてもらえれば、前向きなコミットメントは、十分期待できるわけです。ただし、逆に、作業ベースの仕事ばかり与えて飽きられてしまうと、モチベーションは下がってしまいます。彼らの成長を考えた仕事の与え方をしていくというマネジメントは、オフショア開発で成果をあげるには欠かせない側面だといえるでしょう。「所詮、派遣。単純作業をさせておけば十分」などと考えるのではなく、社員と同じように見なして、彼らのやりがいにも配慮し、成長意欲や提案に耳を傾けることが大切だと思います。

当社のオフショア開発の成功は、ホンさんの頑張りがあってこそですが、そこには、彼の「期待に応えたい」という気持ちもあったのではないかと思っています。ホンさんも、派遣社員だから扱いを変えるのではなく、ほかの日本人社員と同じように接し、会議にも出席してもらい、発言があればみんなで聞くというふうに付き合ってきました。悪くない職場と感じたから10年以上も居続けてくれたのでしょうし、そういう気持ちからオフショア開発にも張り切ってくれたのではないでしょうか。

ともかく、このように、国内オフィスにベトナム人のコントローラーを設置するという体制は、もしかしたらオフショア開発のやり方としては最適解といえるかもしれません。当社の場合、（予期していたわけではありませんが）長年ホンさんと仕事をしていたことが非常に功を奏しました。

現在では、ホンさんとベトナムチームの息も合ってきて、彼がベトナムチームに細かく指示をするようなコミュニケーションの時間も減ってきました。日本人のエンジニアが直接ベトナムにオーダーしても、問題なく仕事をあげてくるまでに、チームは育っています。

オフショア開発に納得して乗り出すには？

ベトナムのオフショア開発チームのおかげで、良質なシミュレーションデータを大量にスピーディに作成することが可能になりました。かつては、主力製品のデータをとるのに精一杯だったのですが、今では全機種にわたって細かいデータ収集が可能となり、改良・改善の検討材料を豊富に蓄積できています。

業務上のトラブルも特になく、十分こなれてきたため、ベトナム側のメンバーを一人追加して、四人体制にすることも視野に入れ始めているところです。

とはいえ、もちろん海外の拠点を持つ以上、それに伴うリスクはあります。

例えばコスト面では、コンサルティング会社への支払を円建てのみで行うと、為替変動によってコスト増になる場合があります。そこで、ここを円／ドルで半額ずつ支払うことにしてその影響を抑制しています。

また、先述したとおり、国内にもオフショアを設けておくのもリスク対策の一環です。一極集中にならないようにすることで、業務に滞りがなるべく生じないようにするわけです。

「やってみたいが、リスクが気になる」のように、オフショア開発に踏み出せない経営者や管理者の方は、「導入によって何をねらうのか」をはっきりさせてみるとよいのではないかと思います。

コスト（人件費）の削減をしたいのか、業務の質を上げたいのか。単なる作業者が欲しいだけなのか、ある程度の提案力も期待するのか。問題をすぐ解決したいのか、ある程度長期的な視野に立ち、使えるチームを増やしたいのか……。

当社の場合、（欲張りですが）中長期的な視点から、業務の質と量をリーズナブルなコストで向上させたい、という希望がありました。いくらコストが安くても能力が低ければ人を集めた意味はありません。そういう意味で、コストばかりを見るのではなく、「人の差」はやはり重要です。確率の話ではありますが、この点ベトナム人はよく働くし、エンジニアの層も厚い印象です。

さらに、いい派遣会社に力を借りることも重要なポイントといえるでしょう。外国人同士で仕事を共有するわけですから、価値観や認識の違いに由来するコミュニケーションの行き違いをはじめ、トラブルは大なり小なり起こりえます。その際、派遣エンジニアと顧客企業との仲介をしっかり行ってくれる派遣会社のほうが安心でしょう。派遣会社の質は、外部からは見極めが難しい部分でもあるのですが、確保したエンジニアのアフターケアに日頃どれほど心を砕いているかをヒアリングしてみることは、派遣会社選びの参考になるかもしれません。

場所を設けてエンジニアを送り込んだらそれっきりという会社もある一方、顧客側、エンジニア側のストレスを頻繁に聞き取り、調整役を買って出てくれる会社もあります。前者のような派遣会社は、エンジニアの離職率、転職率が高いので、それも目安になるかもしれません。違法ですが、中には抜き打ちで持ち物検査をしたり、来日したエンジニアのパスポートを取り上げて預かってしまう会社もあるといいます。このような派遣会社では、エンジニアたちをペナルティによってコントロールしている場合も多く、彼らのモチベーションが高いことはあまり期待できないでしょう。

逆に後者のような派遣会社では、エンジニアたちのためにスポーツ大会や社員旅行などのイベントを企画したりして、メンタル的なケアにも手間暇をかけている場合があるようです。なかには、来日するエンジニアに対しては、空港から滞在先までの送り迎えはもちろん、長期滞在の場合、必要に応じて保険の手配、病院や歯医者の予約などまで、親切に手を貸す会社もあるといいます。

結局、派遣会社と顧客企業が、ベトナム人エンジニアに「ここにいたほうが得」と思わせることができればよいわけです。顧客企業自らは仕事の内容で働きかけ、派遣会社を通してそのほかの条件や居心地で働きかけてもらうことで、そうした気持ちを抱かせることが、オフショア開発で長期的な成果を出すには重要ではないかと思います。

シェアリング&サブスクリプション型でのサービス強化を期待

今後は、さらにベトナムチームに与える課題をアップデートさせていき、別の業務への展開も目指していきたいと思っています。

同じエンジニアを雇い続けると、給料は少しずつ上昇していきますから、その分、コストは増えていきます。しかし、だからといって、彼らを手放して、また一から教育し直すのはもはや面倒です。それならコストが微増し続けても、同じエンジニアを使い続けたいと思います。それほど仕事になじんだベトナム人エンジニアは、私にとって、手放しがたい存在なのです。

ベトナムのオフショア開発チームは、「彼らを前提にしないと来期計画が立てられない」というほど、当社の業務プロセスの中に組みこまれています。将来的には、隣接したグループ会社の仕事を請け負ってこなす、ということもありえるでしょう。若いエンジニアの確保がますます難しくなる中、彼らへの依存度が増えることはあっても、減ることはないと思います。

ただ、本音を言えば「こんなに頼ってしまって大丈夫だろうか？　万一の際に備えて、別の体制に移行できる余地を残しておかなければ」という思いも、確かにあります。しかし、うまく回り出せばこれほど便利なものもなく、ついつい頼りにしているという状況です。

私はビジネスセミナーでも、オフショア開発の活用についてしばしば講演させていただくのですが、参加者の数や所属、そして耳を傾けている表情を見ると、興味のある製造関係者の方はますます増えてきているという印象です。ただ、実際に踏み出せない方も多いようで、「勇気がありますね」と言われることもよくあります。「うちでうまく活用できるだろうか?」とためらっている経営者や管理者の割合もまた、かなり多いという印象です。

最後に、顧客としての希望を述べるなら、オフショア開発のクオリティをさらに高めるためにも、能力の高いエンジニアと出会う機会がさらに広がって欲しいと思います。そこで例えば、「ベトナム人材の調達」において、派遣会社同士がアライアンスを組んで、オフショア開発環境を提供、サポートしてくれるようになると、より成果が期待できるのではないでしょうか。

顧客企業が気になるのは、エンジニアの能力や資質であって、誰がどの派遣会社に所属していようと構いません。一つの開発ルームに集まるエンジニアたちが、別々の派遣会社と雇用契約を結んでいても、契約や支払の窓口が一元化されていて、業務がうまく回りさえすればそれで十分なのです。

昨今、ビジネス形態として、シェアリング型、サブスクリプション型がますます存在感を増しています。オフショア開発の体制づくりでも、特に前者の発想が活かされれば、今後ますます使い勝手の良い人材サービスとして成長し得るのではないかと思っています。

事例4

強度解析チームをベトナムに設置。蓄積したノウハウのグローバル活用を目指す

——住友重機械工業株式会社 新塑性加工開発SBU STAFプロジェクト 営業技術グループ 坂巻 昴三郎

【会社概要】

商号：住友重機械工業株式会社
会社設立：1934年
本社所在地：東京都品川区
資本金：308億7165万円（2019年3月現在）
代表取締役社長・CEO：下村 真司
社員数：2万2543名（2019年3月現在）
主な事業内容：機械コンポーネント、精密機械、建設機械、産業機械、船舶、環境プ

ラント関連製品の製造および販売

オフショア開発の導入：2016年4月～

新成形加工技術に基づく部品の強度解析チームを増設

当社では、2013年、STAFと命名された、新しい熱間ブロー成形加工技術を開発しました。STAFとは、Steel Tube Air Forming の略で、鋼管を高圧空気で熱間成形する世界初の技術およびその加工ラインのことです。本システムでは、従来のプレス成形技術と比較して、製品の部品数を減らし、工程も短縮化することが可能となっています。

2019年6月より、自動車部品の加工技術などとして本格的に営業活動を開始しており、数年後の本格販売に向けて全国の自動車メーカーや部品メーカー各社に採用を訴えているところです。

その際、説得材料として提示を求められるのは、コスト減、工数減といったメリットとともに、強度などの性能に関する情報です。この加工法によって製造される部品が各社の要求する技術的課題を十分クリアしていることを証明することで、設備とセットでの導入を積極的に検討していただけるようになるわけです。

つまり、実験やシミュレーションに基づく強度解析などの検証データ資料が、営業先ごとに必要ということ。そこで、STAFの営業プロジェクトチームでは、解析業務を行う部隊のリソース不足を補うべく、ベトナムにオフショア開発拠点を設置することになりました。プロジェクトリーダーが北関東の製造業者を営業で訪れた際、その仕組みを偶然知って、さっそく検討を開始したのです。

通常のアウトソーシングを行うことも不可能ではないのですが、そうなると一営業案件ごとに発注して解析業務を委託する、といった手続きをとる必要があり、非常に面倒です。解析チームとタイムリーに必要なやり取りを行い、状況の変化にもすぐに対応するためには、オフショア開発という体制はもってこいだったわけです。

当社からコンサルティング会社には、日本語でのコミュニケーションがある程度問題なく可能であること、自動車に関する基礎知識を有していること、解析業務の経験をある程度積んでいることなど、かなり細かい条件を指定して募集を依頼しました。ですが、「希望に合ったエンジニアが見つからない」と困るようなことはなく、無事チームを結成。開発ルームの業務がスタートしてから約3年となりますが、特に大きなトラブルもなく運営できています。

ベトナムの解析チームとは、毎朝、私が日本側の窓口として、日本時間の10時頃に画面越しにミーティングを行い、夕方16時には、進捗確認および明日までの段取りを確認する打ち合わせを行っています。仕事のうえでは、特に口頭で指示をする必要のないタイミングの場合もありますが、挨拶と軽い世間話で終わる時があっても構わないので、コミュニケーションの間が空かないように日頃、気をつけています。

当社は、世界各地と取引をしているため、海外の人とも日常的にさまざまな仕事をするのですが、私自身はベトナム人との仕事は初めてでした。個人的な印象では、ベトナムのエンジニアは、仕事に対して積極的で向上心も高く、新しい課題にも前向きです。かといって、自分の意見や考えに固執して和を乱すような個性主義的な面も少なく、柔軟な姿勢もあります。おかげで仕事はとてもやりやすいと感じています。

ベトナム人の気質は日本人と相性がよく、「うまくやっていくコツ」は特に必要ない、といっても過言ではないくらいです。日本人の仕事仲間と同じように尊重して配慮をしているだけで、私の場合、文化的な摩擦や価値観の衝突といった形のトラブルは今のところまったく起きていません。

当初、ベトナムチームの仕事は解析データ作成というどちらかといえばオペレーション業務が中心でしたが、日本での研修を通して、その前段階となる部品設計や、後段階となる結果の取りまとめといった提案にまで踏み込んだ仕事も少しずつ任せはじめているところです。

自動車関連の技術に関心が高く仕事への意欲も強い

もちろん、このような体制の構築・運営にまったく不安がなかったわけではありません。解析業務は品質保証に関する重要なパートであり、そのノウハウは社内でも重要な情報です。製品（実物）が存在せず、設計図しかないものについてのパラメーターを設定し、精度の高いシミュレーションデータをとる必要もあるわけですから、エンジニア本人が経験を重ねながら、少しずつ勘所をつかんでいってもらう必要があります。

これからの営業の主軸となり得る今回のＳＴＡＦについて、そういう学習、ノウハウの蓄積を外部に委ねてしまって本当によいのか。出したところで正しく理解され、運用されていくのか。まったく的外れなレスポンスがあがってくるようでは、単に指示するこちらの手間が増えるだけです。仕事に当事者意識を感じてもらえず、適当に流して作業されるようでは、データの精度を欠くだけでなく、当社の信用が毀損《きそん》されることにもなりかねません。

しかし、この点に関しては、ベトナムチームのストイックに学び積極的に仕事に関わろうとする姿勢もあって、心配は良いほうに裏切られました。彼らは新しい技術を知りたいという気持ちが強く、特にいちいち指示をしなくても、必要な勉強は資料を通して自発的に行ってくれています。工業製品としての自動車への関心は、一般的にベトナム人エンジニアの間では基本的に高いようで、かつ「日系企業でマネージャーになる」といった希望を抱いているエンジニアが多いようで、その点でも良い選択でした。

エンジニアたちは、今回のＳＴＡＦ技術が自動車業界にどのような意味があるのかをよく理解してくれており、細かな注文にも迅速に対応してくれます。突発的な残業指示や休日出勤についても、いつも納得して応じてくれています。

このような形で仕事をしてみると、現在の解析チームの仕事ぶりは、ほかのやり方で外部に委託することはできなかったに違いないことが分かります。密に連絡を取り合いながら、細かな調整を指示し、エンジニアからも細かくレスポンスをもらうことで、営業先のニーズに合わせた対応をタイムリーに実施する。先にも触れましたが、もし請負業者とこのような仕事をしようとしても、ここまでカジュアルなやり取りはまず不可能でしょう。

また、国内の派遣エンジニアを活用するという場合、そもそもどこに出勤してもらうのかという問題が生じます。本社は都内ですが、そこはいわばブレーン機能。エンジニアなら、研究施設に通勤してもらうのが理想ですが、「愛媛県の研究所に通勤できる」を条件に、希望のスキル・経験を有するエンジニアを探すとなると、選択肢は非常に限られるか、場合によってはほぼゼロとなってしまうでしょう。技術について理解し、業務に慣れてもらうまでの、いわばアイドリング期間のコストが割高になってしまうことも懸念材料です。特に今回の場合、長期的な成果をめざしてメーカー各社へ営業をかけるという投資的な活動に対する支援チームが必要であったわけなので、あえてコストをかけてでも結果を出しにいくという選択は取りづらい状況でした。

それならば、いっそのことエンジニアの人材市場が充実していて、人材が調達しやすい海外に拠点をつくってしまったほうが話は早いのではないか、というわけです。

実際、教育期間のコストは、ベトナムであればペイする印象です。業務にはどうしても波が生じてしまうなか、教育を無駄にしないためには、忙しくない時期にもエンジニアをリリースすることはできません。同じエンジニアをずっと確保し続けておかなければならないことを考えても、今回の体制のほうが、費用対効果としては合理的であったというわけです。

海外拠点からの指示を受けて対応できる体制を視野に

今のベトナムチームはよく回っていますので、今後も彼らの業務の質を上げていくことが目下第一の目標です。

そのうえで、未来の構想としては、日本本社がベトナムの開発ルームを常にハンドリングしているという状況を手放すことも視野に入れています。

STAFについては、当然ながら世界展開を前提にしています。となると、部品メーカーに対して解析データを提出する必要性は日本国内に限らないわけです。

例えば、北米圏での営業活動に際して、アメリカ支社から解析データ作成のオーダーがベトナムに飛び、ベトナムは直でそれに対してレスポンスをする。こうした体制が構築できれば、ベトナムチームが蓄積したノウハウは、そのまま海外展開に流用できます。ベトナムのエンジニアは英語もできますから、こうした展開が一気に可能となるのです。

解析業務をオーダーする拠点を海外にも増やしていき、ベトナムの開発ルームがそれを一手に引き受ける。どの拠点からどんなオーダーがきているのかは、ベトナムが一義的に把握し、日本はその共有を受ける、という関係です。

ベトナムチームのスキルがワンランク上がれば、近い将来グローバルな営業活動のサポートをベトナムが引き受けるという業務フロー体制は、自然と現実味を増していくでしょう。解析チームのリソースを最大限効率的に活用する考え方であり、野心的なベトナム人エンジニアたちにとっても、このような方針はウェルカムなはずです。

業界別オフショア開発実績

（株式会社アールテクノの実績のなかから一部を抜粋。棒グラフはベトナム人エンジニアに対する、各製造業様へのアンケート「日本人担当者を100とした場合の比較」です）

自動車

V-C1 大手自動車内装メーカー		
栃木県	→	ベトナム
2008/4/1	～	13年目
Leader	1名	5名
Member	4名	
CATIA V5 HD2		CAD
自動車	内装樹脂	設計
	サーフェイス	
	意匠もの	

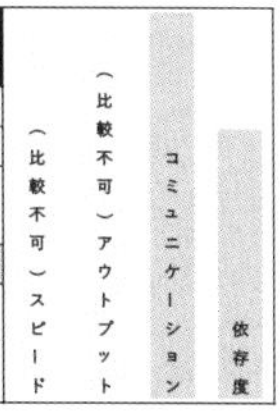

V-C2 大手建機メーカー		
茨城県	→	ベトナム
2013/9/1	～	7年目
Leader	1名	3名
Member	2名	
NX Mach 2,3		CAE
建設機械	振動	解析
	構造	
	応力	

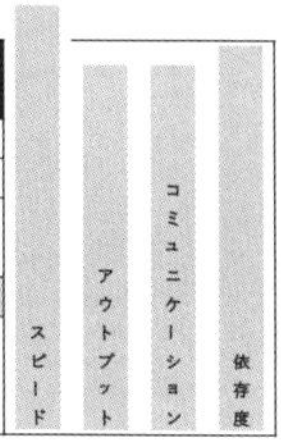

V-C4 大手自動車内外装メーカー		
静岡県	→	ベトナム
2016/11/1	～	4年目
Leader	1名	4名
Member	3名	
CATIA V5 HD2		CAD
自動車	内装	設計
	樹脂	
	サーフェイス	

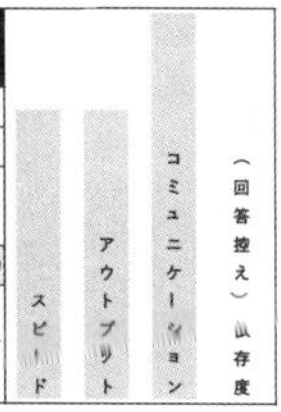

V- C5 大手自動車部品メーカー		
東京都	→	ベトナム
2017/4/1	～	4年目
Leader	2名	3名
Member	1名	
CATIA V5 HD2		CAD
LS DYNA, FEMAP		CAE
重機	試作	設計
	シミュレーション	解析

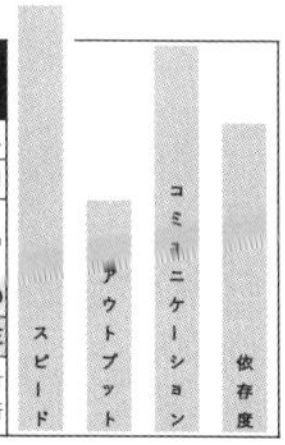

V- C7 設計請負・開発支援		
栃木県	→	ベトナム
2017/10/1	～	3年目
Leader(国内)	1名	4名
Member	3名	
HYPERWORKS		CAE
自動車	車体強度・衝突安全などのシミュレーション	解析

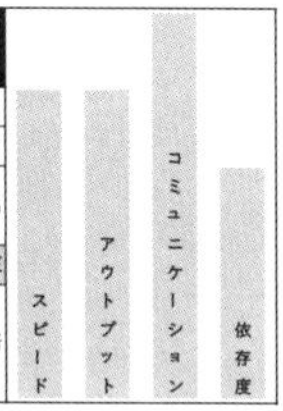

V- C8 大手ブレーキメーカー		
栃木県	→	ベトナム
2017/8/31	～	3年目
Leader	3名	6名
Member	3名	
NX-Mach 2,3		CAE
Visual Studio		IT
自動車	ブレーキ	解析
	管理ソフト	ソフト開発

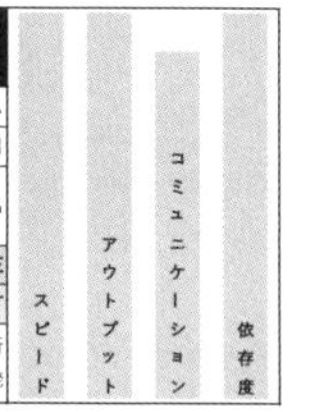

V-C9 大手自動車板金メーカー		
福島県	→	ベトナム
2018/7/9	～	2年目
Leader	1名	4名
Member	3名	
CADmeister		CAD
自動車	鋳型	設計
	プレス金型	
	サーフェイス	

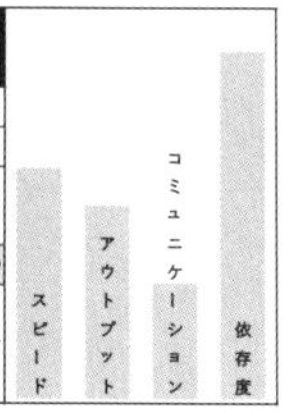

V-C10 大手建設機械メーカー		
長野県	→	ベトナム
2018/10/1	～	2年目
Leader	1名	5名
Member	4名	
Creo		CAD
建設機械	伸縮シリンダー	設計
	高所作業車	
	ブーム	

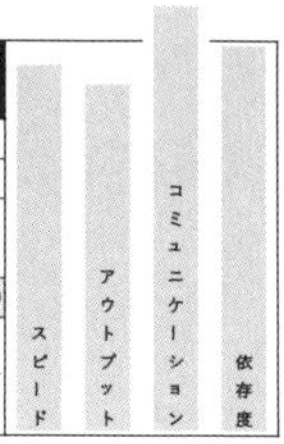

金型試作

V-M1 精密金型メーカー		
宮崎県	→	ベトナム
2017/12/1	～	3年目
Leader	1名	3名
Member	2名	
CREO		CAD
工作機械部品	コネクタ	設計
	放電加工機	
	金型設計	

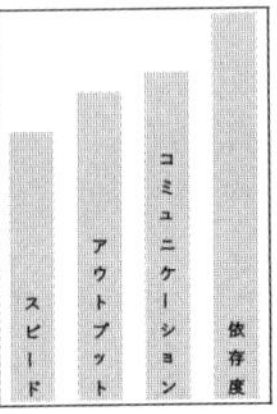

V-M4 プラスチック製品用金型メーカー		
東京都	→	ベトナム
2016/6/1	～	4年目
Leader	1名	3名
Member	2名	
Solidworks		CAD
Mastercam		CAM
真空成型金型	食品容器	設計
	樹脂金型	NC

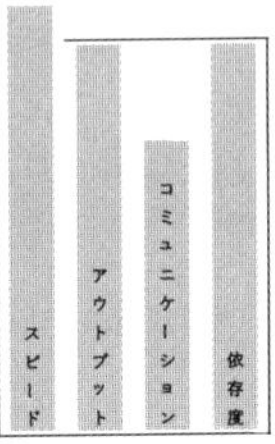

V-M5 大手試作品メーカー		
埼玉県、東京都	→	ベトナム
2016/6/1	～	4年目
Leader	1名	6名
Member	5名	
EDGECAM		CAM
Hypermill		
NCデータ作成	試作金型	設計
	切削加工	NC

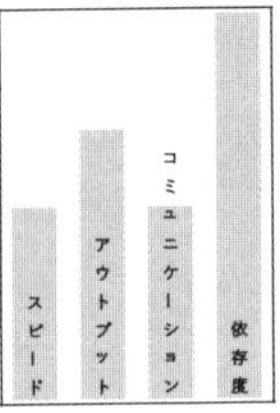

生産機械

V-S6 大手素材メーカー		
神奈川県	→	ベトナム
2019/2/18	～	2年目
Leader	1名	2名
Member	1名	
iCAD SX		CAD
PLC		PLC
製造自動設備	電気制御	電機設計
	シーケンス制御	

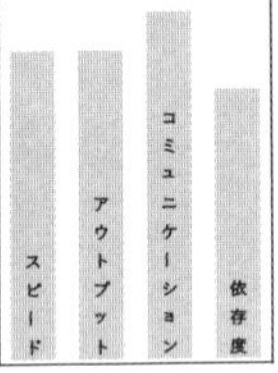

建築設備

V-J1 フロアシステムメーカー		
埼玉県	→	ベトナム
2019/1/7	～	2年目
Leader	1名	3名
Member	2名	
AUTOCAD		CAD
建築設備	オフィスフロア	設計
	建材	

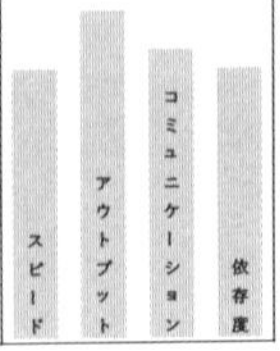

V-J2 建築設備メーカー		
神奈川県	→	ベトナム
2019/2/18	～	2年目
Leader	1名	2名
Member	1名	
Vectorworks		CAD
住宅向け内装・外装製品	トイレのパネル	設計
	機器	
	金属製品	

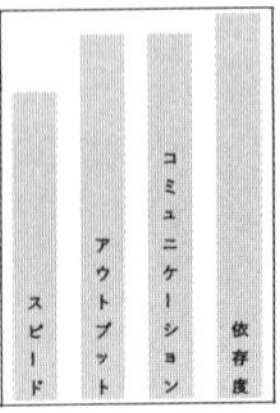

金属加工機械

V-K4 精密部品加工メーカー		
長野県	→	ベトナム
2018/1/15 ～		3年目
Leader	1名	2名
Member	1名	
Solidworks		CAD
Mastercam		CAM
精密部品加工	精密板金	設計
	自動装着機	NC

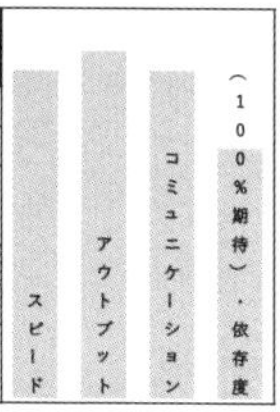

V-K5 ガス溶接・溶断機メーカー		
千葉県	→	ベトナム
2018/4/16 ～		3年目
Leader	1名	3名
Member	2名	
Solidworks Pro		CAD
溶接機	ガスの溶接機器	設計
	レーザー切断機	
	プラズマ切断機	

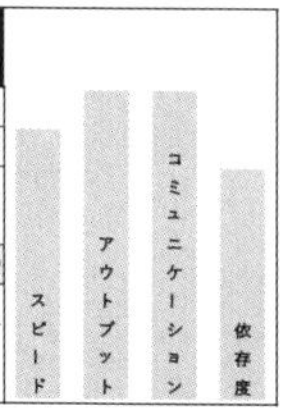

V-K10 精密機械メーカー		
岡山県	→	ベトナム
2019/4/1 ～		2年目
Leader	1名	2名
Member	1名	
iCAD SX		CAD
工作機械	ATC装置	設計
	APC装置	
	試験装置	

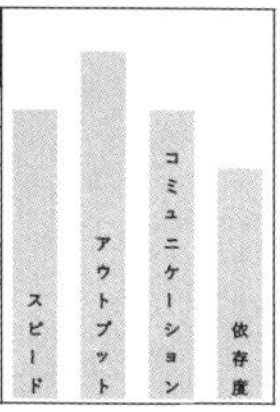

造船

V-Z1 造船メーカー		
大分県	→	ベトナム
2016/8/26 ～		4年目
Leader	1名	3名
Member	2名	
Creo		CAD
造船	船体	設計
	艤装品	
	艤装	

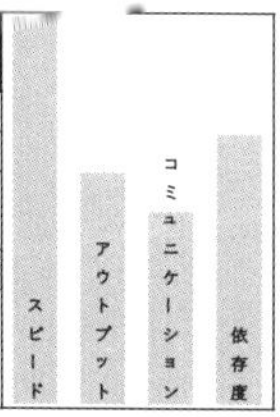

V-Z2 船舶用艤装メーカー		
広島県	→	ベトナム
2019/11/3 ～		1年目
Leader	1名	3名
Member	2名	
Autocad LT		CAD
船舶艤装品	船舶艤装品	設計
	船舶構造	
	配管	

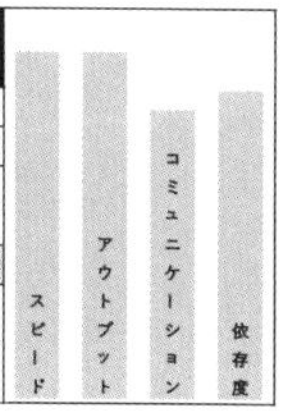

V-Z3 エンジンメーカー		
静岡県	→	ベトナム
2018/4/9 ～		3年目
Leader	1名	2名
Member	1名	
Autocad		CAD
船用エンジン	コンロッド	設計
	ピストン	
	機関監視装置	

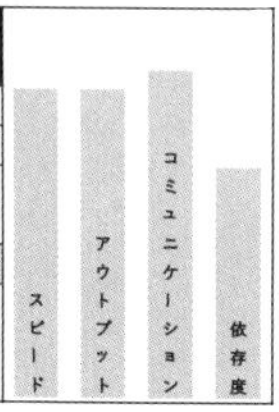

洗浄装置

V-U1 精密洗浄装置メーカー		
静岡県	→	ベトナム
2018/3/12 ～		3年目
Leader	1名	3名
Member	2名	
非公開		CAD
洗浄装置	ウェハー洗浄	設計
	マスク洗浄	
	ディスク洗浄	

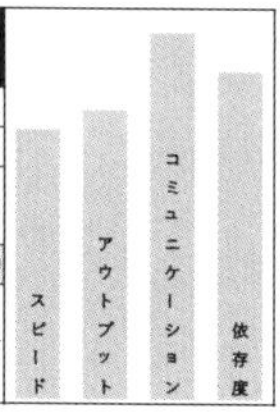

プラント

V-P3 配管支持装置メーカー		
栃木県	→	ベトナム
2017/6/1	～	3年目
Leader	1名	3名
Member	2名	
SolidWorks Standard		CAD
配管支持装置	配管の振れ止め装置の部品	設計

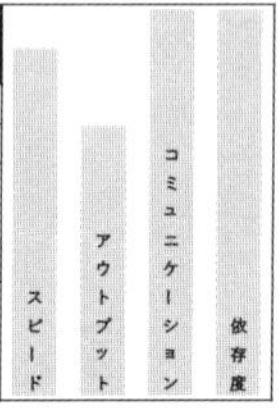

V-P5 大手水処理プラントメーカー		
東京都	→	ベトナム
2019/1/7	～	2年目
Leader	1名	2名
Member	1名	
Solidworks Standard		CAD
プラント設備	排水処理	配管設計
	排水回収	
	超純水製造	

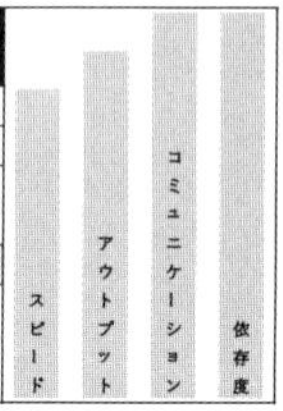

FAロボット

V-F2　FA関連装置メーカー		
長野県	→	ベトナム
2017/6/1	～	3年目
Leader	1名	4名
Member	3名	
Solidworks Standard		CAD
Mastercam		CAM
FA装置用	車載部品	設計
	映像機器部品	

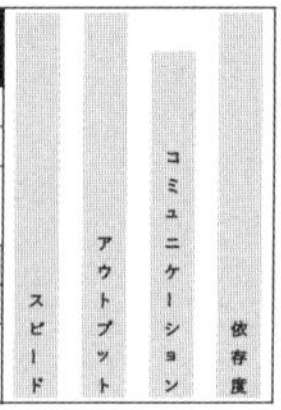

V-F5　FA装置メーカー		
愛知県	→	ベトナム
2019/3/1	～	2年目
Leader	1名	2名
Member	1名	
Solidworks Standard		CAD
Autocad		
FAシステム	搬送機械	設計
	工作機械	

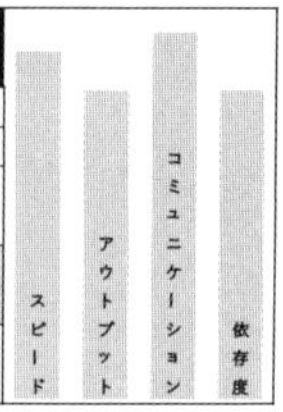

家具

V-Y1　大手オフィス家具メーカー		
長野県	→	ベトナム
2016/9/1	～	4年目
Leader	1名	3名
Member	2名	
Solidworks ST		CAD
意匠もの	オフィスチェア	設計

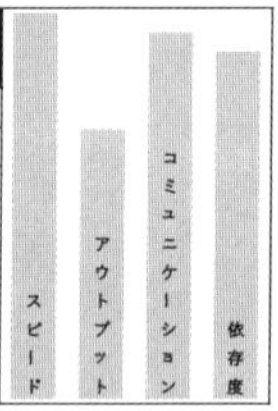

搬送機械

V-T2 大手物流システムメーカー		
滋賀県	→	ベトナム
2019/5/7	～	1年目
Leader	1名	3名
Member	2名	
Autodesk Manufacturing		CAD
搬送設備	搬送装置	設計
	半導体	
	物流機器	

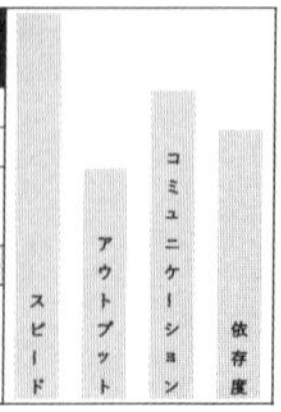

V-T3 大手搬送装置部品メーカー		
埼玉県	→	ベトナム
2019/5/20	～	1年目
Leader	1名	2名
Member	1名	
Autocad LT		CAD
搬送用チェーン	ローラチェーン	設計
	コンベヤチェーン	
	水処理チェーン	

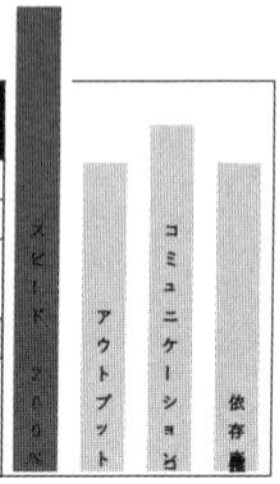

ＩＴ系業務・電気系業務への応用

ご紹介してきたオフショア開発は、分野的には製造業の設計・開発業務を中心にしてきたのですが、実はそれは全体的に見ればかなり珍しい部類です。というのは、Googleなどで「オフショア開発」を検索すれば分かるとおり、ほとんどの会社がいう「オフショア開発」とはＩＴ系の仕事、とりわけソフトウエアの開発を対象としているからです。ものづくりの会社を対象にＣＡＤや設計関係の分野でオフショア開発を専門にやっている会社やサービスを見つけるのは苦労するかもしれません。

とはいえ、ここまで述べてきた方法で「ソフトウエアの開発」についてのオフショア開発ができないはずはありません。

実際に私の会社の実績では、ＩＴ系の業務のオフショア開発がかなり増加傾向にあります。

そもそも工業製品とは、おおざっぱに言えば、「メカ」と「電気」と「ソフトウエア」の設計によって出来上がっており、１社ですべて行う会社もありますし、不得意なパートは外注する会社もあります。

たとえば省エネの冷蔵庫を作る場合に、「メカ的な解決」でいくか「ソフトウエア的な解決」でいくか、その力の入れ具合はメーカーによってアプローチが異なります。

CAD／CAM／CAEとは、このうちの「メカ設計」の部分になりますが、設計部での「オフショア開発導入」による効果が社内の他部門に広まり、「電気設計」や「ソフトウエア開発」もできないか？という話になります。

社内の発注管理や在庫管理などの専用のアプリケーション開発や、電気回路設計、電機制御（PLC）なども、開発ルームは分けたほうが良いか同じ部屋の中にいたほうが良いかはともかく、オフショア開発の業務内容として追加していくことができます。

技術者が足りないのは、メカ系部門だけではない、のです。

コラム オフショア開発・ベトナムのホンネ 6

ベトナムのオフショア開発ルームで働く
ベトナム人エンジニアの声をご紹介します。

▼フィードバックではやり直しを指示してくれたほうが勉強になる

（機械部品メーカー・リーダー・男性）

「機械部品の設計（CAD）とNCプログラム作成（CAM）をしています。二種類の仕事を一緒にしていて、流れとしては、どちらも日本から図面をもらい、専用アプリケーションで指示に合ったデータを作ります。毎日メールで連絡をしていて仕事は問題ありませんが、テレビ会議がもう少しできたほうが、安心かもしれません。

日本の技術が学べるので、仕事は楽しくて面白いです。

ただ、特にCAMの仕事では、送ったプログラムで実際に加工機械がどのように動いているのかが見えないので、自分の仕事の良し悪しが分からず、少し困ることもあります。送ったプログラムを直したものがフィードバックとして送られてくるやり方なので、それをよく確認して、次の仕事に活かすように気をつけています。本当は自分で直せると、一番勉強になると思うのですが。

仕事のレベルを上げたいので、その機会はもっと欲しいです。資料もたくさん読みたいし、練習もしたいです。日本に行って勉強もして、将来は機械をデザインする仕事をやりたいです。

メンバーは皆、今の仕事が好きだと言っているので、チームワークは問題ありません。働き方に不満はありません。10年後もこのような働き方で、レベルの高い仕事ができたら、と思っています」

▼仕事のデータを送って返事がないと不安

(精密部品メーカー・リーダー・男性)

「電子部品など精密加工部品の設計業の仕事をしています。日本からの指示書をもとに3Dデータを作成し、OKになったら2Dデータにします。前の仕事と同じ分野で興味があったので、この仕事に応募しました。アプリケーションは前の仕事とは違うのですが、すぐに覚えることができました。興味がある内容で、これまでの経験が使えるところがいいです。

日本語の指示は、時々難しくてよく分からないことがありますが、よく確認するようにして気をつけています。新しい製品では設計の考え方が違うので、学ぶのが大変なこともあります。

大変な仕事だけれど成長できるので、仕事自体はもっと忙しくても大丈夫です。仕事がない時があるほうが、困ります。難しい仕事でたくさん勉強がしたいです。でも、そういう仕事のデータを送ったとき、返事がないと不安になります。『問題ない』の一言でもフィードバックがもらえると、『やった！』とうれしくなりますから。

将来の目標は、エンジニアとしてメーカーに就職することです。今は設計がメインですが、生産などほかの仕事も覚えて経験を積んでマネージャーになりたいです。チームのメンバーには、もっと責任のある仕事がしたいという人もいるし、自分の会社をつくって、人の生活に役立つ機械をつくりたいという人もいます。このオフショア開発の仕事で、みんなレベルアップしていきたいと思っています」

おわりに

ますます深刻化する国内のエンジニア不足には、オフショア開発を導入し、海外に業務拠点を設ける解決策があることをここまでご紹介してきました。「アウトソーシング」と一括りにしてしまえばそれまでですが、国内で派遣エンジニアを調達することとも、海外の請負業者を利用することとも、意味合いや快適さは大きく異なることが十分お分かりいただけたのではないでしょうか。

実際、オフショア開発を利用する企業では、多くの場合、年を重ねるごとにその依存度が高まっており、もはやオフショア開発チーム抜きでは業務プランが立てられないというところも珍しくありません。オフショア開発体制とは、使い込めば使い込むほど手放せなくなる環境なのです。

もちろん、外国人の起用となれば、コミュニケーションやエンジニアのスキルなどに不安があるでしょう。リーダーとのコミュニケーションには、どうしても日本人同士よりも時間や労力がつきものですし、日本人エンジニアに比べれば、仕事のスピードやクオリティも、見劣りする部分はあるかもしれません。

しかし、それも業務パターンを共有すれば、やがて解決していく課題です。社内の技術を熟知した日本人エンジニアにとっては煩雑な仕事でも、オフショア開発チームのエンジニアたちにとっては学びの宝庫です。そういう業務を手放していくことは、双方にとってメリットのある状況を生み出すことにつながります。そうして、関係が長く続けば続くほどお互いにかけがえのない存在になっていくのです。

エンジニア不足を「今すぐ」解消したいという気持ちは分かります。

しかし、最初からすべてが完璧な解決法など存在しません。

そう割り切ることができた時、オフショア開発という選択肢がひときわ輝いて見える場合があるのです。海外に開発ルームを設置して、そこでエンジニアたちを育てていくことの意義と効果、そして面白さは、事業にきっと新しい地平をもたらしてくれるはずです。

日本の製造業は、競争力の源泉として、これからますます設計力や提案力を含めた品質が問われるようになっていくでしょう。上流工程を担当するエンジニアが、彼らにとっての〝雑事〟から解放され、頭脳労働の質を高めることは生き残るためにも必須の道ではないでしょうか。中長期的に自社の地位を維持向上させるためにも、今から何らか仕込んでおく必要があるように思います。

グローバルに人材を活用し、なおかつ日本製造業の強みを活かす。

オフショア開発ならば、それが可能です。

本書を通して、人材不足による成長の鈍化に悩む製造業の経営者や部門責任者などの皆様に、明るい未来を感じていただけることができたなら、著者として幸甚です。

令和2年6月

吉山　慎二

【プロフィール】

吉山 慎二（よしやま しんじ）

1959年神戸市生まれ。明治大学工学部卒業。

株式会社山善にて12年間勤務し、1995年株式会社アールテクノを創業・設立。

当初から国内製造業に対してCAD/CAM/CAE、工作機械の販売をサポート。また、インド人・ベトナム人技術者の派遣事業を推進。

2008年から独自のオフショア開発事業を展開し、現在に至る。

本書についての
ご意見・ご感想はコチラ

ゼロからわかる

オフショア開発入門《かいはつにゅうもん》

2020年6月1日　第1刷発行

著　者　　吉山慎二
発行人　　久保田貴幸

発行元　　株式会社 幻冬舎メディアコンサルティング
　　　　　〒151-0051　東京都渋谷区千駄ヶ谷4-9-7
　　　　　電話　03-5411-6440（編集）

発売元　　株式会社 幻冬舎
　　　　　〒151-0051　東京都渋谷区千駄ヶ谷4-9-7
　　　　　電話　03-5411-6222（営業）

印刷・製本　瞬報社写真印刷株式会社
装　丁　　田口実希

検印廃止

Printed in Japan
ISBN 978-4-344-92800-8　C0034
幻冬舎メディアコンサルティングＨＰ
http://www.gentosha-mc.com/